UN FAUTEUIL SUR LA SEINE

DU MÊME AUTEUR

Aux éditions Grasset

LE Ier SIÈCLE APRÈS BÉATRICE, 1992.
LE ROCHER DE TANIOS, 1993 (Prix Goncourt).
LES ÉCHELLES DU LEVANT, 1996.
LES IDENTITÉS MEURTRIÈRES, 1998
LE PÉRIPLE DE BALDASSARE, 2000.
L'AMOUR DE LOIN *(livret)*, 2001.
ORIGINES, 2004.
ADRIANA MATER *(livret)*, 2006.
LE DÉRÈGLEMENT DU MONDE, 2009.
LES DÉSORIENTÉS, 2012.
DISCOURS DE RÉCEPTION À L'ACADÉMIE FRANÇAISE, 2014.

Aux éditions Jean-Claude Lattès

LES CROISADES VUES PAR LES ARABES, 1983.
LÉON L'AFRICAIN, 1986.
SAMARCANDE, 1988.
LES JARDINS DE LUMIÈRE, 1991.

AMIN MAALOUF
de l'Académie française

UN FAUTEUIL
SUR LA SEINE

Quatre siècles d'histoire de France

BERNARD GRASSET
PARIS

En couverture : *Paris, la Seine et Notre-Dame*, Jean Dufy, © Adagp, Paris, 2016.

ISBN : 978-2-246-86167-6

Pour Delia, héritière de quatre civilisations

Avant-propos

Ce petit livre est né d'un remords.

En juin 2011, j'ai eu le double privilège d'être élu à l'Académie française, et au fauteuil d'un homme pour lequel j'avais, depuis mes années d'université, une réelle admiration : Claude Lévi-Strauss.

Selon le rituel de la Compagnie, le nouveau membre est censé faire l'éloge de son prédécesseur. J'étais ravi de l'occasion qui m'était ainsi donnée de lire les ouvrages du grand anthropologue – ou, pour certains, de les relire; et de me pencher sur sa vie, que je connaissais mal. La tâche se révéla passionnante, notamment grâce à Monique Lévi-Strauss, la veuve du professeur, qui nous invita, ma femme et moi, à séjourner dans sa propriété de Lignerolles, en Bourgogne, et qui m'ouvrit généreusement les tiroirs de son éminent époux, ainsi que ceux de sa propre mémoire.

Si je garde un merveilleux souvenir des douze mois qui ont séparé mon élection de ma réception solennelle sous la Coupole, il y eut néanmoins chez moi un remords.

En parcourant la liste de ceux qui avaient précédé le professeur Lévi-Strauss sur ce même fauteuil, le vingt-neuvième de l'Académie, j'y avais découvert un personnage qui m'avait été d'une aide précieuse lorsque je préparais mon premier livre : l'historien Joseph Michaud. J'avais eu la chance de tomber, dans une librairie du Quartier latin, sur une édition ancienne de son Histoire des croisades, publiée en sept volumes au début du XIXe siècle, et j'y avais puisé des informations essentielles que j'aurais eu du mal à trouver ailleurs. Je m'étais donc promis de lui rendre, dans mon discours, un hommage d'autant plus vibrant que cet homme est aujourd'hui complètement oublié.

Cependant, absorbé par l'œuvre considérable de mon prédécesseur immédiat ; désireux de faire connaître à la fois son apport scientifique, son parcours intellectuel et son itinéraire d'homme ; tenant à saluer la mémoire d'un autre titulaire éminent de ce même fauteuil, Ernest Renan, qui avait élu domicile dans un village du Mont-Liban pour y écrire son ouvrage le plus célèbre et le plus controversé, la Vie de Jésus ; je ne pouvais m'écarter encore de mon propos pour évoquer un prédécesseur de plus. J'ai dû finalement renoncer au petit paragraphe que je pensais consacrer au sieur Michaud.

Je me promis de réparer dès que possible cette omission, en lui consacrant un article ; ou, si l'occasion m'en était donnée, une conférence. Je fis donc quelques recherches, m'attendant à découvrir le vénérable professeur et l'érudit que son volumineux travail sur les croisades laissait deviner. Mais, au fil des lectures, c'est un tout autre Michaud qui s'offrit à moi : un trublion, un aventurier téméraire qui, sous la Révolution, fut emprisonné pour sédition et détenu en un lieu qu'on appelait alors le collège des Quatre-Nations, qui venait d'être converti en maison d'arrêt, et qui abrite aujourd'hui… l'Académie française. Et c'est de là qu'il avait été conduit sous bonne garde vers les Tuileries, où siégeait le tribunal révolutionnaire qui s'apprêtait à le condamner.

Je ne crois pas aux fantômes vengeurs, mais je crois volontiers aux gracieux fantômes de la littérature, qui hantent les vieilles bâtisses et les esprits rêveurs. Celui de Michaud devait être présent, sous la Coupole, au moment où je me suis levé pour lire mon discours de réception, dans lequel je n'avais pas jugé indispensable de le mentionner. Oui, il était là, tout près de moi, et je ne l'avais pas vu.

À présent, j'étais décidé à tout mettre en œuvre pour réparer ma faute. Je me replongeai avec ferveur dans les écrits de l'historien et dans les péripéties de son existence – sa naissance, ses voyages, son élection à l'Académie, puis sa mort. Ce qui m'amena à m'intéresser également à son successeur et à son prédécesseur. Puis, de proche en proche, à chacun de ceux qui, avant ou après lui, ont occupé le même fauteuil au cours des quatre derniers siècles.

J'avais envie de mieux connaître tous ces personnages, auxquels me liait désormais une certaine filiation morale ; avec l'espoir que certains d'entre eux allaient me procurer des émotions comparables à celles que m'avait réservées Michaud. Et je n'ai pas été déçu. Je suis allé de découverte en découverte, d'étonnement en étonnement, si bien que j'ai très vite décidé de consacrer ce travail, non plus à un seul homme, mais à toute une lignée.

Un fauteuil sur la Seine

En commençant par le premier de ces «ancêtres», dont je n'avais jamais entendu le nom, je le confesse, avant que je sois venu m'asseoir, pour un temps, sur le siège qui fut le sien.

1

Celui qui s'est noyé en voulant sauver son pupille

Le premier occupant du fauteuil n'y resta pas long-temps. Reçu en mars 1634, il se noya dans la Seine quatorze mois plus tard, ce qui lui vaut le triste privi-lège d'avoir été le premier «immortel» à mourir.

Pierre Bardin est aujourd'hui oublié. Comme, d'ailleurs, presque tous les écrivains français de sa génération. Quelques décennies plus tôt, il y avait eu Ronsard, Du Bellay, Rabelais ou Montaigne, que nous continuons à lire; quelques années plus tard, il y aura Corneille, Racine, Molière ou La Fontaine, dont l'œuvre s'est également révélée immortelle. Entre les deux vagues littéraires, un creux.

S'agissant des quarante premiers académiciens, plus aucun de leurs livres n'est édité. C'est à peine si certains de leurs noms surnagent encore, tant bien que mal, dans les mémoires. Pas celui de Bardin, en tout cas, que seuls connaissent, de nos jours, quelques rares spécialistes du XVIIe siècle. De son vivant, il jouis-sait d'une certaine notoriété; mais il n'a jamais été considéré comme un écrivain majeur. Et bien qu'il ait été le premier titulaire de son fauteuil, on pourrait difficilement le compter parmi les fondateurs de la Compagnie.

Ceux qui méritent pleinement cette appellation ne sont qu'une petite dizaine, le premier d'entre eux étant Valentin Conrart. Fils d'une riche famille calviniste, écrivain sans relief mais fin lecteur et grammairien hors pair, il avait eu l'idée de créer à Paris en 1629, avec quelques amis, un cercle littéraire se réunissant à intervalles réguliers. Leur moyenne d'âge était de trente ans, Conrart lui-même n'en avait que vingt-six, et le plus jeune, Germain Habert, dix-neuf ans à peine ; il est vrai qu'il venait aux séances avec son frère aîné.

Ils avaient tous beaucoup de plaisir à se retrouver, et comme ils habitaient des quartiers différents, ils souffraient de devoir parcourir la ville à la recherche les uns des autres. En ce temps où il n'y avait, bien entendu, aucun moyen de se consulter à distance, et où il fallait se déplacer soi-même ou envoyer des coursiers, il n'était pas facile de se rassembler. Ne serait-il pas plus simple, se dirent-ils, de se donner rendez-vous chaque semaine, à jour et heure fixes, et en un endroit déjà convenu ?

Ils choisirent pour leurs réunions la maison de Conrart, qui était célibataire et résidait au cœur de la capitale, rue Saint-Martin, à égale distance de tous. Là, nous raconte Paul Pellisson, auteur de la toute première *Histoire de l'Académie française*, ils s'entretenaient familièrement, comme en une visite ordinaire, et de toutes sortes de choses : d'affaires, de nouvelles, de belles-lettres, etc. « Si quelqu'un de la compagnie avait fait un ouvrage, il le communiquait volontiers à tous les autres, qui lui en disaient librement leur avis ; et leurs conférences étaient suivies tantôt d'une promenade, tantôt d'une collation... Ils parlent encore aujourd'hui de ce premier âge de l'Académie comme d'un âge d'or durant lequel, sans bruit, sans pompe, et sans autres lois que celles de l'amitié, ils goûtaient ensemble tout ce que la société des esprits et la vie raisonnable ont de plus doux et de plus charmant. »

Ils s'étaient promis de ne parler à personne de leur petit cénacle et, pendant trois ou quatre ans, cet engagement fut tenu. Mais un jour, l'un d'eux, le poète Claude de Malleville, commit une indiscrétion – heureuse ou malheureuse, selon le point de vue où l'on se place. Se trouvant en compagnie d'un écrivain nommé Nicolas Faret, il lui toucha un mot de ces réunions. Faret était un bon vivant, on pourrait même dire un fêtard ; plusieurs auteurs de son siècle – dont Nicolas Boileau – ont composé des épigrammes où ils faisaient rimer « Faret » avec « cabaret », tant sa fréquentation de tels lieux était notoire. Est-ce dans un établissement de ce genre que les deux poètes s'étaient croisés ? Et se trouvaient-ils, l'un et l'autre, quelque peu éméchés ? L'histoire ne le dit pas. Toujours est-il que les langues se délièrent, ce jour-là, et que Malleville révéla à son interlocuteur l'existence de leur cercle, leurs discussions, leurs habitudes.

Faret, qui venait de publier un ouvrage intitulé *L'Honnête Homme*, voulut assister à l'une de leurs réunions pour le leur présenter. Conrart et ses compagnons se sentirent obligés de l'inviter. Ils écoutèrent son exposé et lui firent quelques remarques qu'il trouva judicieuses. Enchanté de cette expérience, il ne put s'empêcher d'en parler à son tour à l'un de ses amis, l'abbé de Boisrobert, qui manifesta le désir d'être reçu lui aussi.

Ce dernier était un personnage de bonne compagnie, fort apprécié dans les salons parisiens, et qui possédait, semble-t-il, une fortune considérable. La plupart des «conjurés» le connaissaient bien et éprouvaient de l'amitié pour lui; s'ils n'avaient pas voulu jusque-là qu'il les rejoignît, c'est uniquement parce qu'il était un familier du cardinal de Richelieu, et qu'en le conviant à leurs réunions, ils entraient dans le champ de vision de l'homme qui gouvernait la France. À présent, Boisrobert connaissait l'existence de leur cercle, et il n'était plus possible de le tenir à l'écart.

Se passa alors ce qui devait se passer: séduit par la qualité des échanges dont il venait d'être témoin, l'abbé se dépêcha de tout raconter au cardinal. Qui lui demanda aussitôt, nous dit Pellisson, «si ces personnes ne voudraient point faire un corps et s'assembler régulièrement, sous une autorité publique. M. de Boisrobert ayant répondu qu'à son avis cette proposition serait reçue avec joie, il lui commanda de la faire, et d'offrir à ces Messieurs sa protection pour leur Compagnie, qu'il ferait établir par Lettres Patentes; et à chacun d'eux en particulier son affection, qu'il leur témoignerait en toutes rencontres».

16

Contrairement à ce que prévoyait l'émissaire de Richelieu, Conrart et ses amis ne furent pas enchantés de la proposition. L'un après l'autre, ils prirent la parole pour dire qu'ils préféreraient continuer à tenir leurs réunions comme avant, entre amis, de manière informelle.

Ils étaient en train de débattre de la manière la plus appropriée pour décliner l'offre sans froisser le grand homme, lorsque le plus renommé d'entre eux, le critique littéraire Jean Chapelain, intervint avec autorité pour leur dire qu'ils faisaient fausse route. Comme vous tous, leur assura-t-il, je prends un grand plaisir à nos réunions telles qu'elles sont, et j'aurais préféré qu'elles continuent à se tenir dans la discrétion, et que le cardinal ne s'intéresse pas à nous; mais puisque les choses ont pris un autre cours, ce serait folie de s'entêter; le personnage auquel nous avons affaire «n'est pas homme à vouloir médiocrement ce qu'il veut», il n'est pas de ceux auxquels on peut impunément dire «non»; si nous refusions sa proposition, il nous poursuivrait de son courroux jusqu'à ce que nous ayons plié. Il leur rappela que les lois du royaume interdisaient tout rassemblement n'ayant pas l'agrément du prince, et que, «pour peu qu'il en eût envie», le cardinal pourrait fort aisément faire cesser leurs réunions pour toujours.

Cette opinion réaliste finit par prévaloir. Il fut donc décidé, nous apprend Pellisson, «que M. de Boisrobert serait prié de remercier très humblement Monsieur le Cardinal de l'honneur qu'il leur faisait, et de l'assurer qu'encore qu'ils n'eussent jamais eu une si haute pensée, et qu'ils fussent fort surpris du dessein de Son Éminence, ils étaient tous résolus de suivre ses volontés. Le cardinal reçut leur réponse avec grande satisfaction, et commanda à M. de Boisrobert de leur dire qu'ils s'assemblassent comme de coutume, et qu'augmentant leur Compagnie ainsi qu'ils le jugeraient à propos, ils avisassent entre eux quelle forme et quelles lois il serait bon de lui donner à l'avenir ». Cela se passait au tout début de l'année 1634.

« C'est ainsi que cette Académie fut d'abord formée », dira Voltaire, au siècle suivant, lors de sa réception solennelle. « Elle a une origine encore plus noble que celle qu'elle reçut du cardinal de Richelieu même ; c'est dans le sein de l'amitié qu'elle prit naissance. Des hommes unis entre eux par ce lien respectable et par le goût des beaux-arts, s'assemblaient sans se montrer à la renommée ; ils furent moins brillants que leurs successeurs, et non moins heureux. »

Au moment même où le petit cercle commençait à se métamorphoser en institution officielle, Valentin Conrart, à présent âgé de trente ans bien sonnés, décida de se marier. Invités chez lui pour l'occasion, ses amis ne se contentèrent pas de festoyer ; ils prirent le temps de discuter longuement de l'aventure dans laquelle ils se trouvaient désormais embarqués. Il leur fallait s'atteler sans délai aux tâches que leur imposait la création de l'Académie : rédiger ses statuts ; lui donner un nom ; « étoffer » le groupe initial en augmentant son nombre jusqu'à quarante ; et convenir d'un nouveau lieu de réunion, puisque Conrart n'était plus célibataire et qu'on ne pouvait continuer à se rassembler chez lui comme avant. Les membres connurent alors une longue période de « nomadisme », où ils se retrouvaient tantôt chez l'un, tantôt chez l'autre ; celui qui les accueillait le plus fréquemment était le poète Jean Desmarets, qui possédait une vaste résidence au cœur de Paris, rue du Roi-de-Sicile, dite l'hôtel Pellevé. C'est là que la Compagnie commença à prendre forme ; c'est là que fut désigné son premier secrétaire perpétuel – Conrart, bien entendu ; et c'est là que Pierre Bardin fut convié, le lundi 27 mars 1634, afin de rencontrer « ces Messieurs de l'Académie ».

Né à Rouen vers 1595 dans une famille modeste, il avait fait ses études chez les pères jésuites, avant de « monter » à Paris pour devenir le précepteur du jeune marquis d'Humières. Il avait acquis une certaine notoriété dans les milieux littéraires en publiant un livre intitulé *Pensées morales* ; ce n'était qu'une paraphrase de l'Ecclésiaste de la Bible, mais de tels ouvrages étaient, en ce temps-là, fort appréciés.

Très tôt les fondateurs de l'Académie avaient pensé à lui, et certains d'entre eux lui avaient même touché un mot de leur projet. Il avait réagi avec froideur, et quasiment avec hostilité, chose inhabituelle de la part d'un homme réputé pour sa courtoisie et ses bonnes manières. La raison de cette attitude nous est connue, vu que plusieurs chroniqueurs de l'époque la relatent dans des termes à peu près identiques.

Bardin travaillait depuis des années à un livre qui devait être le couronnement de son œuvre. Il y prodiguait des conseils à ceux qui désiraient atteindre l'idéal de l'époque, celui d'un homme dévoué, chevaleresque, à l'esprit éclairé et aux manières polies. Un jour, il se retrouva en compagnie de Nicolas Faret et lui parla longuement de son projet – oui, ce même Faret auquel Malleville révéla l'existence des réunions chez Conrart. Bardin aussi s'était laissé aller à lui faire des confidences, et il avait eu l'imprudence de mentionner le titre qu'il entendait donner à l'ouvrage qu'il était en train d'écrire : *L'Honnête Homme*. Sans se gêner, Faret lui déroba cette expression, qui allait connaître une fortune durable ; il écrivit lui-même un livre sous ce titre, qu'il alla présenter en son propre nom aux futurs académiciens.

On comprendra aisément que Bardin n'ait pas fait montre d'un enthousiasme débordant lorsqu'on vint lui proposer de se joindre à une assemblée dont faisait partie son spoliateur. Mais l'on insista auprès de lui, et il finit par se rendre à l'hôtel Pellevé.

La réunion fut d'ailleurs plutôt houleuse. Le candidat formula des reproches à l'endroit du sieur Faret, lequel riposta en exprimant des doutes quant à l'opportunité de son admission au sein de la Compagnie. Mais les choses finirent par s'arranger. Bardin était un imprudent et un impulsif, pas un hargneux.

Après avoir dit ce qu'il avait sur le cœur, il surmonta son amertume, passa l'éponge et rejoignit le groupe. Pour l'ouvrage qu'il était en train d'écrire, il choisit un nouveau titre en remplacement de celui qu'on lui avait volé ; ce qui aurait dû s'appeler *L'Honnête Homme* s'appela *Le Lycée* ; avec, néanmoins, sur la couverture, en guise de sous-titre : *où en plusieurs promenades, il est traité des connaissances, des affaires et des plaisirs d'un honnête homme.*

Pendant la courte période qui lui restait à vivre, le premier titulaire de ce fauteuil assista aux réunions et participa aux travaux avec ferveur. Ainsi, lorsque l'Académie naissante voulut marquer le commencement de ses activités en demandant à chacun de ses membres de faire une «harangue» sur un sujet de son choix, il en prononça une, qui fut fort appréciée, semble-t-il, et qu'il intitula : *Du style philosophique.*

Il y affirmait avec vigueur que la philosophie n'avait nullement besoin des termes barbares dont on l'embarrasse dans les écoles, vu que les problèmes qu'elle soulève concernent toute personne désireuse de connaître le monde et de le comprendre ; et qu'il faudrait donc en parler dans le langage le plus naturel qui soit.

Le texte de ce discours n'a jamais été publié. Mais un manuscrit subsiste, conservé à la Bibliothèque nationale de France. Qu'il est émouvant de contempler ces pages, et d'imaginer la voix de l'homme qui les lisait avec passion sans savoir qu'elles seraient ses dernières paroles publiques, et en quelque sorte son testament moral !

« Si c'est une loi des orateurs qu'il faille employer les plus doux attraits de l'éloquence à l'entrée des harangues pour mériter une attention favorable des auditeurs, je confesse, Messieurs, que je suis violateur de leur règle. J'ai cru obtenir cette grâce sans me mettre en peine de la demander ; et fût-il du devoir ou de la coutume de le faire, j'ai estimé que le sujet de mon discours m'en donnait une dispense. Car ce n'est pas pour moi que je vais parler, mais pour la Philosophie. Chère troupe, vous dit-elle… »

Il se lança alors dans une longue plaidoirie en faveur de la modernité, de la diffusion du savoir, et surtout en faveur de la langue française, qui devrait être capable d'exprimer tout ce qui a pu s'exprimer jadis en latin ou en grec. C'était là, à son avis, l'une des tâches les plus importantes auxquelles devait s'atteler la nouvelle académie. « Et bien que je ne sois nullement amateur de louange, je m'applaudirai pourtant dans le secret de mon âme si mon discours vous peut persuader d'entreprendre ce travail qui serait l'honneur de vos noms, le bonheur de votre siècle et la gloire de votre patrie. »

Huit jours après avoir prononcé cette harangue, l'académicien se noyait dans la Seine. Il avait quarante ans.

L'accident qui lui coûta la vie eut lieu près de Paris, à Charenton, le samedi 29 mai 1635. Bardin s'était comporté ce jour-là de manière impulsive, et passablement irréfléchie. Mais avec générosité, et même, pourrait-on dire, avec héroïsme. C'est ainsi, en tout cas, qu'il fut jugé à son époque, comme en témoigne un ouvrage de ce temps-là, d'auteur anonyme, intitulé *De la prudence ou des bonnes règles de la vie* : «Si l'on veut parler des hommes qui ont employé leurs vies pour ceux qu'ils aiment en d'autres occasions que des combats, je n'en vois point de plus bel exemple que celui du sieur Bardin, un des savants hommes de notre siècle. Étant précepteur du marquis d'Humières en sa jeunesse, il avait tant de soin de la conservation de sa personne qu'il ne l'abandonnait en aucun lieu. Comme il prit envie un jour au marquis de s'aller baigner dans la rivière de Seine près de Charenton, Bardin fut de la partie, mais le marquis s'aventura tellement qu'il se trouva en un endroit fort dangereux. Bardin prétendait le secourir, et alors leur bateau avança et le batelier se jeta en l'eau pour aller à eux.» Le précepteur et son disciple se cramponnèrent aussitôt à lui ; mais l'homme, qui n'avait pas assez de force pour les porter l'un et l'autre, leur dit qu'il fallait que l'un d'eux lâche prise, ou qu'ils périraient tous trois. «Alors Bardin, préférant le salut du marquis au sien, se laissa couler en l'eau où il fut noyé parce qu'il ne nageait pas assez bien pour se sauver.»

Ce premier décès d'un membre de la Compagnie contraignit ses pairs à réfléchir à la manière d'honorer ceux qui mouraient. On décida qu'une messe serait célébrée à sa mémoire en l'église des Carmes des Billettes, dans le Marais ; qu'un éloge succinct serait composé, sans excès de louanges, et «qui fût comme un abrégé de sa vie»; qu'une épitaphe en vers et une autre en prose seraient rédigées à son intention; et que l'on ferait de même, désormais, à la mort de chaque académicien.

Ces dispositions paraissaient dignes et convenables. Malheureusement, l'épitaphe en vers ne fut pas conforme aux attentes. Elle avait pourtant été confiée à Chapelain, le sage qui avait su éviter à ses amis une dispute inutile et coûteuse avec le cardinal de Richelieu. Peu d'hommes de son temps étaient aussi respectés. On le disait sûr dans son jugement, et les esprits les plus brillants d'Europe étaient en correspondance avec lui. Mais les quelques vers qu'il commit en l'honneur de son confrère disparu ne suscitèrent que des sarcasmes.

Bardin repose en paix au creux de ce tombeau;
Un trépas avancé le ravit à la terre.
Le liquide élément lui déclara la guerre
Et de ses plus beaux jours éteignit le flambeau.
Mais son esprit, exempt des outrages de l'onde,
S'envola glorieux, loin des peines du monde,
Au palais immortel de la félicité.
Il eut pour but l'honneur, le savoir pour partage.
Et quand au fond des eaux il fut précipité,
Les vertus avec lui firent toutes naufrage.

Les deux derniers vers furent abondamment moqués, et du «liquide élément» on fit des gorges chaudes. «Chapelain veut rimer, et c'est là sa folie», dira

Boileau dans ses *Satires*, avec autant de pertinence que de perfidie.

À cause de ce faux pas, on renoncera à composer des épitaphes en vers pour les académiciens disparus. Bientôt s'instaurera une autre coutume, qui se révélera durable : celle de faire prononcer leur éloge par leur successeur.

★ ★

★

On peut difficilement créditer Bardin d'une grande inventivité littéraire. Le livre qui l'avait fait connaître de ses contemporains et lui avait valu d'entrer à l'Académie n'était, on l'a vu, qu'une paraphrase de l'Ecclésiaste ; tous les écrits qu'il a laissés sont également de nature moralisante ou didactique. Du moins eut-il le mérite d'assumer explicitement ce choix. De son point de vue, les ouvrages les plus méritoires étaient ceux qui faisaient appel au jugement du lecteur, plutôt qu'à son imagination ou à sa mémoire. Il n'avait pas une haute idée des poètes, ni des « faiseurs de romans qui les ont voulu imiter en prose », et qui, disait-il, « ont du moins fait ce bien aux lettres qu'ils leur ont trouvé une place dedans le cabinet des dames ». Il rejetait donc « la mignardise » des écrivains qui racontaient « des fables », mais également « l'austérité des doctes » qui étalaient leur savoir avec des références fréquentes aux textes anciens. Comme il l'expliquait dès les premières pages de son *Lycée*, sa préférence allait aux conversations que pouvaient avoir les « honnêtes hommes » au cours de leurs promenades, sur des sujets essentiels mais traités avec des mots simples.

En toute logique, ces « mots simples » devaient forcément s'exprimer dans la langue courante, plutôt qu'en latin. C'est ce que Bardin soulignait dans son ultime « harangue », estimant que la première mission de l'Académie était de généraliser l'usage du français dans tous les domaines du savoir.

De nos jours, le latin est une langue sinistrée, qui s'enseigne de moins en moins ; les amoureux de la langue française éprouvent l'envie de protéger ce vénérable aïeul. Au XVIIᵉ siècle, on avait plutôt envie de réduire son influence – et, par la même occasion, celle de l'Église sur les choses de l'esprit. Valentin Conrart se vantait presque de mal connaître le latin.

Cette querelle était souvent feutrée, et souterraine. Mais elle pouvait, du jour au lendemain, remonter à la surface, comme allaient bientôt l'illustrer les critiques acerbes et les sarcasmes dont le successeur de Bardin fut la cible, dès son élection.

2

Celui qui n'aimait écrire qu'en latin

Le chanoine Nicolas Bourbon, deuxième titulaire de ce fauteuil, était fort estimé comme poète de langue latine, mais beaucoup moins comme auteur de langue française. Ce qui permit à un chroniqueur de l'époque d'écrire cette notice persifleuse : « Borbonius, père de l'Oratoire, qui ne savait que du latin, et qu'on fit membre de l'Académie française à cause de ses vers latins. » C'était également l'opinion du plus brillant des académiciens de l'époque, Jean-Louis Guez de Balzac, qui ne se gêna pas pour ironiser sur « cette plaisante élection » dans une lettre qu'il adressa aussitôt à Jean Chapelain :

« Monsieur,

« Que vous semble du choix qu'on a fait de notre nouveau confrère, avec lequel je viens de me réconcilier ? Croyez-vous qu'il rende de grands services à l'Académie, et que ce soit un instrument propre pour travailler avec vous autres, Messieurs, au défrichement de notre langue ? Je vous ai autrefois montré de ses lettres françaises qui sont écrites du style des bardes et des druides. Et si vous croyez que *s'eximer des apices de droit,* que *l'officine d'un artisan,* que *l'impéritie de son art,* et autres semblables dépouilles des vieux romans, soient de grandes richesses en France, il a de quoi en remplir le Louvre, l'Arsenal et la Bastille…»

Cette vigoureuse charge mérite quelques explications. D'abord à propos de Balzac. Il semble incongru, aujourd'hui, de l'appeler par ce seul nom, mais au XVIIᵉ siècle, au XVIIIᵉ, et jusqu'au premier quart du XIXᵉ, lorsqu'on disait «Balzac», sans autre précision, c'est de celui-là qu'il s'agissait, Jean-Louis Guez de Balzac, épistolier et polémiste, qui œuvra à la modernisation de la prose française. Au temps de Richelieu et de Louis XIII, il était la grande célébrité littéraire, et lorsqu'on voulut établir l'Académie, on jugea indispensable qu'il en fût.

Mais il montra encore moins d'empressement que Bardin ; et, vu son statut, il n'était pas question de le convoquer à l'hôtel Pellevé pour une confrontation qui aurait pu l'incommoder. On décida de le nommer d'office au vingt-huitième fauteuil, sans même attendre son consentement. Informé de la décision, il ne dit pas oui, il ne dit pas non, se contentant d'en prendre acte. La lettre citée plus haut révèle bien son état d'esprit. Il appelle Nicolas Bourbon *notre* nouveau confrère, mais lorsqu'il évoque les activités de la Compagnie, il parle de *vous, Messieurs,* plutôt que de *nous.* Et s'il raille le nouvel élu et met en doute son utilité «pour le défrichement de notre langue», il prend soin de signaler qu'il s'est réconcilié avec lui comme il convient d'agir avec un confrère.

Une réconciliation plus formelle que réelle, comme la lettre le montre bien. Le ressentiment est encore là, et il explique peut-être la sévérité du jugement.

Inutile d'entrer dans les détails de la querelle qui a opposé les deux hommes, mais il n'est pas superflu d'en dire quelques mots. Balzac avait été l'élève de Bourbon, de vingt-trois ans son aîné. Il y avait eu entre eux de l'estime ; l'élève reconnaissait que le professeur lui avait beaucoup apporté ; l'autre le considérait comme l'un de ses plus brillants disciples. Mais un « incident littéraire » allait jeter le trouble dans leurs rapports.

En 1627 fut publié à Paris un ouvrage polémique qui fit grand bruit. Intitulé *Lettres de Phyllarque à Ariste, où il est traité de l'éloquence française*, il prenait pour cible Guez de Balzac, accusé de maniérisme dans le style et aussi, entre les lignes, de libertinage et de malhonnêteté. L'auteur qui se dissimulait sous le pseudonyme de Phyllarque était Jean Goulu, supérieur de la congrégation religieuse des Feuillants.

Au plus fort de cette querelle, Balzac eut la satisfaction de recevoir une longue lettre signée de Nicolas Bourbon – ou, plus exactement, de Nicolaus Borbonius puisqu'elle était en latin –, qui lui donnait raison sur tous les points, en réfutant un à un les arguments de Phyllarque.

Le seul défaut de cette lettre, du point de vue du destinataire, c'est que son correspondant le priait instamment de la garder confidentielle ; il pouvait la montrer à quelques amis proches, mais surtout pas la rendre publique. Or la querelle devenait extrêmement éprouvante, au point que Balzac allait être contraint de quitter Paris pour s'établir au bord de la Charente, sur une propriété qu'il y possédait – à Balzac, justement, près d'Angoulême. Il avait donc désespérément besoin de soutiens, et celui de Bourbon, chanoine d'Orléans et de Langres, professeur au prestigieux Collège royal fondé au siècle précédent par François Ier, lui paraissait crucial. Après un temps d'hésitation, il décida de faire imprimer la lettre. L'aîné en fut abasourdi, et ulcéré ; il parla de trahison, de perfidie, et d'impudence ; son cadet l'accusa de lâcheté.

La publication de la lettre mit son auteur dans une position délicate. Comme Bourbon appartenait à l'Ordre de l'Oratoire, le fait qu'il ait pris parti pour un homme du monde contre un homme d'Église, qui plus est le supérieur d'une autre congrégation que la sienne, allait lui occasionner de graves problèmes au sein du clergé. Pour se faire pardonner sa prise de position, le maître se déchaîna contre son ancien élève dans trois ouvrages successifs d'une rare véhémence – et tous en latin, bien entendu.

Dans cette affaire, qui agita pendant quelque temps le petit univers des lettrés, l'indélicatesse de Balzac fut réprouvée. Mais beaucoup estimèrent que Bourbon avait payé le prix de sa propre duplicité. Ceux qui l'ont connu laissent entendre qu'il avait plusieurs visages, et plusieurs opinions, en fonction des interlocuteurs qu'il avait en face de lui. Ce que Pellisson, dans son *Histoire*, résume par une formule assassine : « Il était fort civil, grand approbateur des ouvrages d'autrui en présence de leurs auteurs. »

Cette observation trouve peut-être son origine dans une anecdote qui circulait à son propos, et que rapportent certaines chroniques de l'époque. Richelieu, qui aimait à manier la plume, et qui a laissé plusieurs ouvrages à caractère religieux, politique et historique, avait écrit un petit texte en latin dont il était assez content. Il demanda à l'un des ses familiers de le faire lire à Nicolas Bourbon, réputé excellent latiniste, et de recueillir son opinion. Voulant obtenir un avis sincère, le cardinal interdit à l'émissaire de révéler l'identité véritable de l'auteur.

À la lecture du texte, Bourbon décréta : « C'est du latin de bréviaire ! » Ce qui était, dans la bouche d'un chanoine, une manière de dire « du latin de cuisine ». On rapporta fidèlement le propos au cardinal, qui dissimula sa déception et feignit d'approuver la sentence, disant qu'elle était adéquate puisque le texte était effectivement l'œuvre d'un ecclésiastique. Cependant, ajoute la chronique, « la pension que le roi donnait à Bourbon ne fut point payée cette année-là ; tant il est difficile d'acquiescer à la raison, et de renoncer à l'amour-propre que nous avons pour tout ce qui part de nous ».

Cet incident, ajouté à sa mésaventure avec Guez de Balzac, explique sans doute la grande prudence de Nicolas Bourbon. Et la réputation qui lui a été faite auprès de ses contemporains – et notamment de ses confrères. Pellisson, qui ne l'a pas connu en personne, lui consacre une notice peu flatteuse. «Il était quelquefois un peu chagrin, m'a-t-on dit, et un peu trop sensible aux injures qu'il s'imaginait avoir reçues.» L'historien ajoute qu'il l'a entendu accuser, par plusieurs personnes, d'un trop grand attachement aux biens matériels. «Encore qu'il eût quatorze ou quinze mille livres d'argent comptant, qu'on lui trouva dans un coffre après sa mort, il semblait ne craindre rien tant que la pauvreté, ce qui venait peut-être de sa vieillesse…»

«Sa vieillesse» pour expliquer que le chanoine était, si l'on veut appeler les choses par leur nom, avaricieux, acariâtre et ombrageux? Lors de son entrée à l'Académie, il avait soixante-trois ans – pour l'époque, un vieil homme; personne, jusque-là, n'avait été élu à un âge aussi avancé.

Paradoxalement, les ouvrages qui mentionnent son nom l'appellent tous «le jeune», pour le distinguer de son grand-oncle Nicolas Bourbon «l'ancien», également poète néolatin, qui fut très célèbre au siècle précédent, et dont on possède un beau portrait de la main de Hans Holbein.

De l'académicien lui-même, nous ne connaissons pas les traits. Les rares descriptions que l'on possède ne parlent que très succinctement de son apparence physique. «C'était un grand homme sec qui aimait le bon vin», rapporte l'un de ceux qui l'ont bien connu; avant d'ajouter que c'est justement cela qui lui faisait préférer le latin, «car, disait-il, lorsqu'il lisait des vers français, il avait l'impression de boire de l'eau».

Curieuse observation, mais qui porte le sceau de l'authenticité. On a même le sentiment qu'elle reflète très fidèlement l'atmosphère culturelle qui régnait autour du deuxième titulaire du fauteuil, celle d'un certain dénigrement de la «mode» nouvelle qui consistait à vouloir exprimer en français vulgaire ce qui s'était toujours dit en latin. On comprend dès lors les ricanements de ceux qui ne voyaient pas «Borbonius» tout à fait à sa place au sein d'une institution dédiée justement à la défense et à l'illustration de la langue française.

L'homme maniait en tout cas avec fougue la vénérable langue de Cicéron et de Virgile. Parmi les textes qui nous restent de lui se trouve un long poème composé au lendemain de l'assassinat d'Henri IV en 1610, et qui fut publié simultanément en latin et en traduction française sous le titre : *Exécrations sur le détestable parricide*. Bourbon s'y déchaîne contre le meurtrier, Ravaillac :

> *Que l'huile bouillonnant avec le plomb fondu*
> *Soit sur ton corps ouvert lentement répandue!*
> *Et que quatre chevaux tirent, impitoyables,*
> *Et brisent, forcené, tes membres exécrables!*
> *Que le peuple offensé traîne parmi la rue*
> *Tes ossements sanglants et ta cuisse rompue!*

Cette violence verbale est, paradoxalement, révélatrice d'une grande modération dans les convictions. Le chanoine semble avoir été sincèrement outré par le fait qu'un fanatique se réclamant de la foi catholique ait pu tuer le souverain qui, par l'Édit de Nantes promulgué en 1598, avait accordé aux protestants la liberté du culte, et mis fin de la sorte aux guerres de Religion. Tout au long de sa vie, d'ailleurs, Bourbon n'a cessé de vitupérer avec rage «ceux qui font tant de bruit de leur religion».

★　★
★

Les amis qui vivaient dans son intimité rapportent qu'il «fut travaillé d'une insomnie presque continuelle». Un rien lui ôtait le sommeil. Au point que, lorsqu'on voulait l'inviter à dîner, il fallait le faire le jour même, car si on l'en prévenait la veille, il ne pouvait plus fermer l'œil de la nuit. C'était devenu pour lui une infirmité, une torture, et une obsession de chaque instant. À sa mort, l'un des ses familiers composa une épitaphe pour sa tombe, où il le faisait s'écrier avec soulagement: «Enfin, je dors!»

Nicolas Bourbon mourut à Paris le 6 août 1644. Il avait vu le jour en Champagne soixante-dix ans plus tôt. Pour le remplacer, les académiciens décidèrent d'élire cette fois un très jeune homme; mais les critiques que suscita leur choix n'en furent que plus véhémentes.

3

Celui que l'on a préféré à Corneille

Le jour où fut élu François-Henri Salomon de Virelade, on a «prostitué le titre d'académicien», dira le philosophe d'Alembert cent ans plus tard. Il est vrai que cet avocat volubile de vingt-trois ans avait été préféré à Pierre Corneille sous prétexte que ce dernier ne remplissait pas l'une des conditions statutaires d'éligibilité, n'étant pas domicilié à Paris.

Personne n'était dupe. Chacun savait que c'est pour une tout autre raison que la candidature de Corneille avait été écartée. Richelieu venait de mourir, et les membres de «son» Académie ne voulaient pas avoir l'air d'attenter à sa mémoire en élisant à la première occasion un homme qu'il détestait, fût-il le plus grand écrivain de France.

Pour d'Alembert, l'hostilité de Richelieu envers l'auteur du *Cid* n'avait qu'une seule explication : «Corneille avait le tort d'être meilleur poète que le cardinal.» Ce qui était également l'opinion du redoutable polémiste Antoine de Rivarol, qui formula la chose en des termes soigneusement ciselés : «Richelieu, qui affectait toutes les grandeurs, abaissait d'une main la maison d'Autriche et, de l'autre, attirait à lui le jeune Corneille, en l'honorant de sa jalousie.»

Pour cette raison ou pour d'autres, plus politiques, le prélat s'était irrité du succès inouï du *Cid*, et il avait souhaité obtenir une réprobation vigoureuse de la pièce de la part des académiciens. Lesquels avaient été extrêmement embarrassés par cette requête. Ils ne voulaient sûrement pas contrarier leur éminent protecteur. Mais ils ne voulaient pas non plus se déconsidérer et se ridiculiser en jouant les censeurs à l'encontre d'un chef-d'œuvre que le public avait plébiscité. Ils s'en étaient sortis par une habile pirouette – à savoir une sentence équilibrée, contenant des critiques légitimes ainsi que des éloges justifiés, et qui sut apaiser les antagonistes.

Quand le prélat mourut, en décembre 1642, la querelle du *Cid* ne faisait plus rage, même si elle n'était pas près d'être oubliée. Corneille commémora sa disparition par un quatrain à la fois prudent et magnanime:

> *Qu'on parle mal ou bien du fameux Cardinal,*
> *Ma prose ni mes vers n'en diront jamais rien:*
> *Il m'a fait trop de bien pour en dire du mal,*
> *Il m'a fait trop de mal pour en dire du bien.*

Le «mal» que le grand homme d'État avait fait au grand écrivain incluait, entre autres, le «veto» qu'il avait opposé à son entrée à l'Académie. Sans doute Richelieu n'a-t-il jamais formulé explicitement son refus, mais chacun connaissait son sentiment en la matière, et personne n'aurait pris le risque de le défier. Mieux valait attendre qu'il ne fût plus de ce monde.

Au lendemain de sa mort, la question se posa différemment. L'élection de Corneille était désormais une certitude ; restait à savoir quel devait être le délai de décence. Le fauteuil de Nicolas Bourbon fut le premier à se libérer après la disparition du cardinal. Fallait-il que la Compagnie attende encore un peu pour ne pas avoir l'air de se précipiter, et pour ne pas être soupçonnée d'ingratitude ? Il y eut des discussions, des tractations, des fâcheries, des promesses. Finalement, une majorité se rallia à l'opinion attentiste. Corneille ne devait entrer à l'Académie que deux ans et demi plus tard.

Si le refus de l'élire dès 1644 était en soi regrettable, le profil de celui qui lui fut préféré rendit la dérobade plus navrante encore. En lisant les récits de l'époque, on parvient à comprendre comment un tel égarement avait pu se produire, mais l'on a du mal à l'excuser.

La faute en revient, en partie, à un personnage dont le rôle avait pourtant été fort bénéfique dans les premiers temps de l'Académie : Pierre Séguier. Garde des Sceaux, portant le titre prestigieux de « Chancelier de France » qui faisait de lui le plus haut fonctionnaire du royaume, il s'était pris d'affection pour la jeune Compagnie. Affection réciproque, puisque les fondateurs lui réservèrent symboliquement le premier fauteuil, n'attribuant que le deuxième à leur chef de file Valentin Conrart ; et qu'ils se rendirent chez lui, en délégation, à la mort de Richelieu, pour lui proposer de devenir leur nouveau «protecteur» – la fonction la plus prestigieuse qui soit, puisque le troisième protecteur sera Louis XIV en personne.

Du temps où mourut Nicolas Bourbon et où l'on dut envisager son remplacement, l'Académie, qui ne disposait toujours pas d'un lieu de réunion permanent, venait justement de s'établir dans le vaste hôtel particulier du chancelier Séguier, non loin du Louvre.

La personnalité de l'hôte faisait de cette résidence un haut lieu du pouvoir. Parmi les nombreux courtisans qui fréquentaient l'endroit se trouvait un jeune avocat bordelais, élégant, affable, beau parleur. Les académiciens le trouvaient brillant, le chancelier lui promettait un bel avenir. Est-ce lui qui suggéra de l'élire ? Tout porte à le croire, à commencer par le discours de réception du nouvel académicien, qui rendit hommage à son bienfaiteur en des termes parfaitement explicites : «Son approbation et son choix m'ont procuré une place que, sans sa recommandation, je n'eusse osé prétendre…»

C'était dans l'habitude de Séguier de favoriser de la sorte ceux qui avaient l'heur de lui plaire. Un jour, il ira jusqu'à demander à la Compagnie d'élire son petit-fils, le duc de Coislin, âgé de seize ans et demi. Ce dernier se montrera, avec le temps, un confrère estimable, et il terminera sa carrière, cinquante ans plus tard, comme doyen de l'Académie. Le protégé bordelais du chancelier se révélera, en revanche, décevant jusqu'au bout. Lui dont on avait justifié l'élection par le fait qu'il résidait à Paris alors que Corneille habitait Rouen, il ne tardera pas à acheter une charge dans sa ville natale, et à aller s'établir là-bas, ne revenant plus que très rarement dans la capitale.

Il sera donc, pendant un quart de siècle, le titulaire du vingt-neuvième fauteuil sans vraiment l'occuper. S'estimant dupés, ses confrères le jugeront sévèrement. «Il parle avec facilité, mais avec peu d'ordre et de solidité, et ses vers latins ne sont pas plus excellents que sa prose française», dira de lui Chapelain, sans doute pour se faire pardonner d'avoir cédé, un jour, au charme du beau parleur. Et comme l'illustre la phrase cruelle écrite par d'Alembert, le jugement de la postérité sera plus impitoyable encore.

Cette sévérité est-elle justifiée ? En partie seulement. Quand on se penche sur le parcours de ce personnage aujourd'hui complètement oublié, on ne peut qu'éprouver pour lui une certaine compassion.

Son parcours avait commencé sous les meilleurs auspices. Né en octobre 1620, il avait fait de brillantes études chez les pères jésuites, au collège de la Madeleine, où il avait passé son examen de philosophie à quatorze ans et demi, avant de monter à Paris et d'être nommé, à dix-huit ans, avocat général au Grand Conseil. Présidée par le Chancelier de France, cette institution était chargée de traiter les requêtes juridiques adressées au Conseil du roi. Un début de carrière fort prometteur, donc. La bienveillance de Séguier y avait contribué, sans doute, mais elle n'explique pas tout.

Le jeune homme paraissait talentueux, et précoce. On comprend, dès lors, que les académiciens aient pu être impressionnés, et qu'en l'élisant si jeune, ils aient eu le sentiment d'accueillir un prodige.

Mais leurs espoirs seront déçus, pour deux raisons au moins. La première, c'est que le nouveau membre n'avait aucun talent littéraire. Il ne devait écrire, au cours de sa carrière, aucune œuvre digne de ce nom – ni pièce de théâtre, ni roman, ni poème, ni épître, ni pamphlet, ni «harangue». Le texte le plus long que ses confrères aient eu entre les mains, intitulé *Discours d'État à M. Grotius*, était, selon les contemporains, largement «emprunté» à Guez de Balzac. Plus tard, il publiera, en un volume, chez un éditeur de Bordeaux, deux petites études à caractère juridique et épigraphique, en latin. À vrai dire, tout donne à penser que sa maîtrise de la langue française n'était pas meilleure que celle de Borbonius, son prédécesseur.

L'autre raison qui explique son insuccès, c'est la situation politique. Louis XIII était mort quelques mois après Richelieu ; son fils, Louis XIV, n'avait pas encore cinq ans. Le royaume connut alors une période d'instabilité et de troubles graves, appelée par les historiens «la Fronde», et qui prit parfois les allures d'une véritable guerre civile. En particulier, des émeutes éclatèrent à Paris en août 1648, le Palais royal fut encerclé par les barricades, au point que le cardinal Mazarin, qui avait succédé à Richelieu comme ministre, préféra emmener le jeune souverain et sa mère loin de la capitale, qu'il revint assiéger quelques semaines plus tard avec des mercenaires allemands. Pendant plus de cinq ans, le royaume allait connaître des conflits armés à l'intérieur comme à l'extérieur des frontières, une crise économique grave, ainsi qu'une violente contestation du pouvoir royal par une partie de la noblesse, par le Parlement de Paris comme par les autres corps constitués, tel le Grand Conseil, auprès duquel travaillait François-Henri Salomon. Dans ce contexte, on peut difficilement reprocher à ce dernier d'avoir quitté la capitale, où son avenir professionnel et personnel paraissait compromis, et où ses moyens de subsistance s'amenuisaient, pour se replier sur sa province natale.

Dès son retour, il acheta certaines charges lucratives, et épousa une jeune femme issue du même milieu que lui, Isabeau, fille d'un «président à mortier» au Parlement de Bordeaux. À la mort de son beau-père, il lui succéda dans cette charge, ce qui lui assurait un statut et des revenus respectables.

Un ouvrage intitulé *Mélange d'histoire et de littérature*, publié au xviie siècle, donne des détails sur lui, sur ses ancêtres, et sur ce qu'il a fait après s'être réinstallé dans sa ville. Contrairement aux autres chroniqueurs de l'époque, l'auteur, dom Bonaventure d'Argonne, ne se montre pas hostile à l'académicien. Il nous apprend notamment que sa famille était d'origine vénitienne. Il donne même sa généalogie, faisant remonter «Messire François-Henri de Salomon» à un aïeul nommé Marco de Salomon, «noble homme» venu comme émissaire à Bordeaux, et qui y aurait élu domicile et fait souche.

Une famille patricienne appelée « Salomon », « Salamon » ou « Salamoni » existait effectivement à Venise jusqu'à la fin du XVIIIe siècle ; elle venait, semble-t-il, du Levant ou de la Sicile, et pourrait avoir une origine juive. Quant au nom de Virelade, c'est celui d'une commune située au cœur du vignoble bordelais des Graves, où les parents de l'académicien possédaient des terres.

Cette ascendance vénitienne semble corroborée par une source imprévue. Le grand écrivain allemand Ernst von Salomon raconte, dans un ouvrage auto-biographique intitulé *Le Questionnaire* et publié en 1951, les difficultés rencontrées par les siens à cause de leur patronyme. « Le *Gotha*, cet ouvrage définitif que la noblesse s'est donné et où chaque famille trouve son arbre généalogique avec toutes ses ramifications connues, ne sait pas trop quoi faire de notre famille. On parle d'un mystérieux noble vénitien qui surgit d'une façon inattendue de la nuit de l'histoire, s'établit père de notre maison et disparaît sans laisser de renseignements plus précis. »

L'auteur ironise affectueusement sur cette pieuse légende, estimant que sa propre tendance à l'instabilité doit sûrement venir de cet ancêtre vagabond.

★ ★
★

Désormais installé dans sa ville, avec un statut de notable et une réputation de lettré, François-Henri Salomon de Virelade entreprit de constituer autour de sa personne une sorte d'académie à prétention scientifique. Mais avec des préoccupations quelque peu étranges. Un document du XVIIIe siècle nous apprend qu'il se forma à Bordeaux, en 1664, «une assemblée de physiciens et de médecins, chez M. Salomon, président à mortier de ce Parlement, et l'un des quarante de l'Académie française. Ces savants, sans autre loi que celle de l'amitié et de l'émulation, cultivaient les sciences naturelles; on y fit même quelque anatomie sur le cervelet des animaux et sur les poissons. On y lut, entre autres, une dissertation sur le changement d'un fœtus humain en celui d'un singe par la seule force de l'imagination... Cette pièce fut extrêmement critiquée. La dissertation et la critique sont imprimées, mais c'est tout ce qui nous reste de cette Société.»

Le troisième titulaire du fauteuil ne revint à Paris qu'une seule fois, semble-t-il. C'était en 1667. Il se rendit à l'hôtel Séguier, et ses confrères, qui avaient désespéré de le revoir, se montrèrent fort accueillants, allant jusqu'à l'installer séance tenante comme directeur. Il remplit brièvement cette fonction, puis s'en retourna dans sa ville. Trois ans plus tard, on fut informé de son décès, et on procéda sans délai à la désignation de son successeur.

L'homme qui fut élu était d'âge mûr pour l'époque, trente-cinq ans, et déjà célèbre comme auteur dramatique. Dans son discours de réception, il jugera inutile de saluer la mémoire de son prédécesseur. Il omettra même de mentionner son nom, comme s'il fallait refermer au plus vite cette embarrassante parenthèse.

Triste épisode dans l'histoire de l'Académie ! Et triste destin que celui du troisième titulaire de ce fauteuil ! À l'évidence, il n'aurait jamais fallu élire ce tout jeune homme, d'autant qu'il n'avait quasiment rien écrit. On l'a fait pour de mauvaises raisons, par esprit courtisan, pour ne pas déplaire au protecteur, et aussi par légèreté et par inexpérience. On s'est trompé lamentablement, et on en a voulu au malheureux Bordelais ; alors que le fautif, ce n'était pas lui.

4

Celui que les écrivains jalousaient

Contrairement à son prédécesseur, qui n'avait finalement rien d'un enfant prodige, Philippe Quinault l'était pour de vrai. Fils d'un boulanger établi près du Louvre, il avait connu à dix-huit ans son premier succès comme auteur de théâtre. Il avait ensuite multiplié les comédies, les tragédies et les tragi-comédies, une bonne quinzaine avant l'âge de trente ans ; jouées devant un public souvent enthousiaste, et quelquefois en présence de Louis XIV. Parallèlement, il avait fait des études de droit, ce qui lui permit d'avoir un titre d'avocat au Parlement de Paris, et d'acheter une charge d'auditeur à la Cour des comptes.

Homme talentueux, habile et avisé, il avait acquis et son siècle un statut comparable à celui des plus grands écrivains. Et personne ne fut surpris lorsqu'il fut élu, en mars 1670, à l'Académie française. Même si certains faisaient la moue. Tel Boileau, qui s'était promis de mettre de l'ordre dans les lettres, et qui distribuait satisfecit et blâmes. Il aimait bien l'homme, disait-il, mais pas le style, qu'il jugeait doucereux, voire mièvre :

Les héros de Quinault parlent bien autrement,
Et jusqu'à « Je vous hais ! » tout se dit tendrement.

Il le prenait continuellement comme cible de ses sarcasmes, comme s'il voyait en lui le représentant même d'une littérature de bas rang, adulée du public, mais sans grande valeur.

Si je pense exprimer un auteur sans défaut
La raison dit Virgile, et la rime Quinault.

Sans vouloir démêler ce qui relève de la critique justifiée et ce qui relève de la cabale entre écrivains et entre courtisans, il est clair que le quatrième titulaire du fauteuil fut à la fois le bénéficiaire et la victime des modes de son temps.

C'était alors, pour la France, une époque faste, brillante et inventive, mais également frivole. Le pays était enfin sorti des turbulences de la Fronde, le grand règne du Roi-Soleil commençait à déployer ses splendeurs ; avant même de s'installer, en 1682, au château de Versailles, la cour organisait des fêtes somptueuses dans les différentes résidences royales, et Quinault y avait sa part. Il y fut même, incontestablement, l'une des étoiles les plus brillantes.

Moins, d'ailleurs, par ses pièces de théâtre que par ses livrets d'opéra ; un genre littéraire qui n'existait alors dans aucune autre langue que l'italien, et dont il fut le pionnier en France ; un genre délicat à manier, puisque les paroles, qui ne sont pas toujours audibles sous la musique, tendent à se simplifier à l'extrême, prêtant le flanc à des flèches comme celles que lançait Boileau. C'est à la veille de son entrée à l'Académie que Quinault avait inauguré sa carrière de librettiste. Jusque-là, il avait eu le cursus classique des dramaturges et des poètes de son temps, et c'est cela qui lui avait valu son élection. Ce qui modifia le cours de son écriture, et de sa vie, lui apportant un supplément de notoriété et de fortune, mais lui attirant également un surcroît de jalousie et de dénigrement, ce fut son association avec Jean-Baptiste Lully, un compositeur venu de Florence, fort talentueux, mais arriviste et autoritaire, et qui allait avoir, dans les plus belles années du règne de Louis XIV, la haute main sur les festivités de la cour.

Nommé «surintendant de la musique», le Florentin donnait des spectacles de toutes sortes – ballets, comédies-ballets, mascarades, tragédies lyriques, etc. – en faisant appel, pour les textes, aux grands auteurs du moment, notamment à Molière, avec lequel il collaborera plus d'une fois, en particulier sur *Le Bourgeois gentilhomme*. D'autres écrivains furent sollicités, qui s'essayèrent à ce nouveau métier de librettiste, avec plus ou moins de succès : Pierre Corneille et son frère Thomas, Jean de La Fontaine, et jusqu'à Boileau lui-même. Mais nul ne fut aussi proche de Lully que Philippe Quinault. Ils travaillèrent ensemble sur une bonne douzaine de spectacles, dont plusieurs – comme *Psyché*, *Cadmus et Hermione*, ou *Armide* – connurent un immense succès. Ce mélange de textes, de musiques et de danses était particulièrement adapté aux espaces comme à l'atmosphère des résidences royales. Les deux compères devinrent les vedettes de la cour ; leur prestige était grand, et ils gagnaient beaucoup d'argent. Ce qui provoquait du ressentiment chez la plupart des écrivains du moment, qui ne s'expliquaient pas que Quinault fût aussi choyé par le roi comme par le public.

L'un des rares auteurs à le défendre était Charles Perrault, aujourd'hui célèbre pour ses *Contes*, et qui écrira dans ses Mémoires : «La vérité est qu'en ce temps-là j'étais presque le seul à Paris qui osât se déclarer pour M. Quinault, tant la jalousie de divers auteurs s'était élevée contre lui, et avait corrompu tous les suffrages et de la Cour et de la Ville ; mais enfin j'en ai eu satisfaction. Tout le monde lui a rendu justice dans les derniers temps, et ceux qui le blâmaient le plus ont été contraints, par la force de la vérité, de l'admirer publiquement, après avoir connu qu'il avait un génie particulier pour ces sortes d'ouvrages.»

La personne à laquelle Perrault songeait en évoquant «ceux qui blâmaient le plus» Philippe Quinault et qui «ont été contraints» de changer d'avis, c'est évidemment Boileau. Lequel, après avoir été le plus virulent des critiques, avait fini par mettre de l'eau dans son vin, allant jusqu'à dire, dans la préface à une réédition tardive de ses œuvres : «J'étais fort jeune quand j'écrivis contre M. Quinault, et il n'avait fait aucun des ouvrages qui lui ont fait depuis une juste réputation.»

Était-ce une rétractation? C'est peu probable. Quand ces mots ont été publiés, les deux auteurs étaient ensemble à l'Académie depuis dix-sept ans; Quinault était un homme courtois, affable, amical, et son confrère voulait le ménager; ce qui ne veut pas dire que son jugement sur son œuvre s'était modifié. La chose est d'ailleurs explicitée, au fil de sa correspondance, comme dans cette lettre où il dit: «Je ne veux point ici offenser la mémoire de M. Quinault qui, malgré tous nos démêlés poétiques, est mort mon ami. Il avait, je l'avoue, beaucoup d'esprit, et un talent particulier pour faire des vers bons à mettre en chant. Mais ces vers n'étaient pas d'une grande force ni d'une grande élévation...» Comme plusieurs autres écrivains de sa génération, Boileau n'avait pas la plus haute idée du genre littéraire qui avait fait la fortune du librettiste – ces tragédies qui s'achevaient comme des comédies, ces mélodrames qui se dissolvaient en rengaines, et, plus que tout, les enseignements, à ses yeux fort nuisibles, que le public pouvait tirer de ces spectacles, à savoir, disait-il,

> *... qu'à l'amour, comme au seul Dieu suprême,*
> *On doit immoler tout, jusqu'à la vertu même;*
> *Qu'on ne saurait trop tôt se laisser enflammer;*
> *Qu'on n'a reçu du ciel un cœur, que pour aimer;*
> *Et tous ces lieux communs de morale lubrique*
> *Que Lully réchauffa des sons de sa musique.*

Ce jugement sévère sur la «dépravation» supposée des écrits de Quinault n'était pas le fait du seul Boileau.

Quand celui-ci publia les vers que nous venons de citer, il reçut une lettre d'approbation enthousiaste de la part d'un des penseurs les plus influents de ce temps-là, le théologien Antoine Arnauld, dit «le grand Arnauld», chef de file des jansénistes et ami de Blaise Pascal. «Ce qu'il y a de pis, écrivit-il à Boileau, c'est que le poison de ces chansons lascives ne se termine pas au lieu où se jouent ces pièces, mais se répand par toute la France, où une infinité de gens s'appliquent à les apprendre par cœur, et se font un plaisir de les chanter partout où ils se trouvent.»

Même son de cloche chez le plus grand prédicateur de l'époque – et, selon certains, de toutes les époques : l'évêque de Meaux, Bossuet. Il s'élevait, quant à lui, contre «la corruption réduite en maximes dans les opéras de Quinault, avec toutes les fausses tendresses et toutes ces trompeuses invitations à jouir du beau temps de la jeunesse, qui retentissent partout dans ses poésies». Ce qui l'inquiétait, à vrai dire, ce n'était pas tant l'effet néfaste sur «une infinité de gens», mais sur une personne en particulier : Louis XIV. Le prélat, qui était le confesseur d'une partie de la famille royale, ne cessait de recommander au souverain de faire preuve de sagesse et de tempérance, de se comporter en bon chrétien, d'honorer son épouse et d'ignorer les jolies femmes qui frétillaient autour de lui. Et il bouillonnait de rage quand Quinault disait dans *Atys* : «Ce n'est pas être sage qu'être sage plus qu'il ne faut»; ou, dans *Cadmus et Hermione* : «Qui peut être contre l'amour, Quand il s'accorde avec la gloire ?»; ou encore, dans

Astrate : « Non, non, Seigneur ; l'amour doit, quand il est extrême, Tout séduire et tout vaincre, excepté l'amour même. »

On sait, par divers témoignages, que le roi ne cachait pas sa satisfaction en entendant de telles paroles, et que ses courtisans en saisissaient sans difficulté les messages. Comme celui-ci, dans *Atys*, le plus « insidieux » de tous :

Il faut souvent, pour devenir heureux,
Qu'il en coûte un peu d'innocence.

★ ★
★

À la réprobation de la morale « lubrique » qui se dégageait des vers de Quinault, s'ajoutait une méfiance à l'endroit de son associé, son « complice ». Écrire des livrets pour le Florentin ne semblait pas très glorieux. Il avait la réputation d'être tyrannique, et quelque peu vorace. Molière avait bien travaillé avec lui, mais il y avait constamment eu entre les deux hommes des orages, et ils avaient fini par rompre avec fracas. Alors qu'entre Lully et Quinault, c'était un ciel d'azur. Leurs détracteurs disaient qu'ils étaient « de la même farine », par allusion au fait que le premier était le fils d'un meunier, et l'autre, d'un boulanger. On prétendait aussi que le librettiste était « aux ordres » du musicien, constamment prêt à lui fournir tous les textes qu'il voulait.

Quand La Fontaine s'essaya sans succès à l'écriture d'un livret, et qu'il se brouilla avec Lully au bout de quelques mois, il composa contre lui une satire d'une rare violence :

Le Florentin
Montre à la fin
Ce qu'il sait faire.
Il ressemble à ces loups qu'on nourrit, et fait bien
Car un loup doit toujours garder son caractère,
Comme un mouton garde le sien.
J'en étais averti ; l'on me dit : « Prenez garde ;
Quiconque s'associe avec lui se hasarde ;
Vous ne connaissez pas encor le Florentin ;
C'est un paillard, c'est un mâtin… »

Celui-ci me dit : « Veux-tu faire,
Presto, presto, quelque opéra…
Voici comment il nous faudra
Partager le gain de l'affaire :
Nous en ferons deux lots, l'argent et les chansons ;
L'argent pour moi, pour toi les sons… »

Peut-être n'est-ce pas tout à fait sa harangue,
Mais, s'il n'eut ces mots sur la langue,
Il les eut dans le cœur. Il me persuada ;
À tort, à droit, me demanda
Du doux, du tendre, et semblables sornettes,
Petits mots, jargons d'amourettes
Confits au miel ; bref, il m'enquinauda.

Ce dernier verbe ne fut pas oublié. Certes, il existait déjà bien avant le XVIIe siècle ; «quinault» signifiait autrefois «singe», et «enquinauder» voulait dire «tromper par des cajoleries ou des flatteries» ; on disait également, dans le même sens, «embabouiner» ; mais La Fontaine en a légèrement dévié le sens, et il a fait mouche. Désormais, chaque fois qu'on évoquera Quinault, on s'en souviendra.

De telles impressions se perpétuent. Surtout quand elles sont convoyées par des plumes de grand talent. L'image du quatrième occupant du fauteuil en fut durablement affectée, même s'il trouva, au siècle suivant, un éminent défenseur en la personne de Voltaire.

Ô dur Boileau, dont la Muse sévère,
Au doux Quinault envia l'art de plaire, …
Chacun maudit ta satire inhumaine.
N'entends-tu pas nos applaudissements
Venger Quinault quatre fois par semaine ?

Dans *Le Siècle de Louis XIV*, le philosophe des Lumières ne tarit pas d'éloges pour le librettiste, estimant qu'il sut, «dans un genre tout nouveau, et d'autant plus difficile qu'il paraît plus aisé», se hisser au niveau de ses plus illustres contemporains. «Le véritable éloge d'un poète, dit-il, c'est qu'on retienne ses vers. On sait par cœur des scènes entières de Quinault ; c'est un avantage qu'aucun opéra d'Italie ne pourrait obtenir… Si l'on trouvait dans l'antiquité un poème comme *Armide* ou comme *Atys*, avec quelle idolâtrie il serait reçu ! Mais Quinault était moderne. »

Grâce à Voltaire et à quelques autres, tel d'Alembert, l'œuvre de Quinault allait connaître, au XVIIIe siècle, un regain d'affection, qui se manifesta notamment dans les années 1775 à 1779, lors de cet événement invraisemblable qu'on appela « la querelle des gluckistes et des piccinnistes ».

La France se trouvait alors, sans le savoir, à dix ans de la Révolution qui allait bouleverser son destin. Mais elle n'était pas divisée entre royalistes et républicains, ni entre les partisans d'une monarchie absolue et ceux d'une monarchie constitutionnelle. Ce pour quoi se passionnait l'élite de la nation, c'était le conflit entre les partisans de l'opéra traditionnel « à la française », représenté paradoxalement par le compositeur allemand Christoph Gluck, et ceux de la musique « à l'italienne », représentée par Niccolò Piccinni. Un voyageur anglais, en visite à Paris dans ces années-là, raconte que « personne n'acceptait de vous rencontrer avant d'avoir vérifié, non pas si vous étiez une personne vertueuse et agréable, mais si vous étiez gluckiste ou piccinniste... ». Il y avait des cafés que fréquentaient uniquement les piccinnistes, et où les gluckistes n'étaient pas les bienvenus. Les deux factions s'invectivaient dans les salons, dans les écoles, sur les places publiques, et même quelquefois à la cour. La jeune Marie-Antoinette, épouse de Louis XVI, et qui était devenue reine en 1774 à l'âge de dix-huit ans, avait été à Vienne l'élève de Gluck, et on la situait dans le camp de ses admirateurs, même si elle s'efforçait de paraître impartiale. Dans le camp opposé se trouvait le secrétaire perpétuel de l'Académie française, Jean Le Rond, dit d'Alembert; philosophe et mathématicien, concepteur, avec Diderot, de l'*Encyclopédie*, il ne répugnait pas aux controverses; on l'a vu pourfendre Salomon de Virelade et accuser Richelieu de jalousie envers Corneille; il allait se faire le porte-drapeau de la faction piccinniste.

Si j'évoque ici cette «danse au bord du précipice», c'est parce qu'un jour, on décida, pour trancher le débat, de mettre Gluck et Piccinni à l'épreuve en leur faisant composer des œuvres musicales sur les textes d'un même auteur: Philippe Quinault.

Au moment où son œuvre connaissait cet ultime moment de célébrité, l'auteur était mort depuis près de cent ans. Mort de tristesse; et même, en quelque sorte, de peur.

C'est qu'il ne prenait pas à la légère la condamnation morale de ses livrets! Elle l'affectait, et elle lui apparaissait comme le résultat d'un regrettable malentendu. Est-ce qu'il cherchait à promouvoir la débauche et l'immoralité? Dieu non! S'il composait des vers frivoles, c'est parce que c'était la loi du genre. On ne chante pas ni ne danse sur des paroles sentencieuses! Il ne cessait de le répéter à ses confrères de l'Académie, ce qui les avait radoucis à son égard, mais les avait également confortés dans leur jugement quant à sa faiblesse de caractère. À force de le fréquenter dans les couloirs du Louvre – où la Compagnie s'était installée en 1672 – ils avaient tous pris l'habitude de faire la distinction entre le brave homme et ses écrits. Tous, y compris Bossuet. Et y compris Quinault lui-même : à la cour, il faisait des vers lestes pour plaire à Louis XIV ; et à l'Académie, il déplorait avec ses confrères la luxure et la dépravation. Le tout avec une désarmante bonhomie.

Mais l'atmosphère à Versailles était en train de changer. Un vent d'austérité, d'intolérance, et même de bigoterie était en train de souffler, dans lequel certains historiens ont vu, à raison ou à tort, l'influence de Mme de Maintenon, épousée en secret par le roi à la mort de la reine. En octobre 1685, Louis XIV décida de révoquer l'Édit de Nantes, promulgué par son grand-père Henri IV, et qui accordait aux protestants la liberté de culte. Aussitôt, il y eut un exode massif des « huguenots » vers l'Angleterre, la Prusse, la Suisse ou les Provinces-Unies comme s'appelaient alors les Pays-Bas ; ils allaient contribuer de manière significative à la prospérité de villes comme Berlin et Londres.

Quinault célébrera la révocation par un long poème à la gloire du souverain. Mais tout porte à croire qu'il fut surtout affecté par un autre événement survenu en ces années-là, et qui le touchait de plus près.

La tragédie avait fait irruption dans sa vie comme

56

une mauvaise farce. C'était dans les premières semaines de 1687. Son ami Lully était en train de faire répéter à ses musiciens un *Te Deum* qu'ils devaient bientôt exécuter en l'honneur du roi. Il tenait à la main son bâton de direction, une lourde canne ornementée qu'il employait pour battre la mesure et pour ponctuer les ordres qu'il donnait. Soudain, par énervement, il frappa le sol avec violence, écrasant son propre orteil. La blessure s'infecta, au point que les médecins recommandèrent l'amputation. Mais le compositeur, qui était aussi un excellent danseur, s'y opposa. La gangrène se propagea alors jusqu'à la tête, entraînant la mort.

Quinault en était dévasté. Il était même épouvanté par ce qui lui apparaissait comme un châtiment divin. Du jour au lendemain, il décida de renoncer définitivement au théâtre comme à l'opéra, pour mener désormais une existence de prière et de méditation. Et c'est dans le poème célébrant la révocation de l'Édit de Nantes, et donc « le triomphe » du roi sur « l'hérésie », qu'il annonça sa propre métamorphose.

> *Je n'ai que trop chanté les jeux et les amours ;*
> *Sur un ton plus sublime il faut nous faire entendre :*
> *Je vous dis adieu, muse tendre,*
> *Et vous dis adieu pour toujours.*
> *C'est à des actions d'éternelle mémoire*
> *Que je dois consacrer mes vers.*
> *Un Monstre longtemps redouté*
> *Tombe enfin, sans espoir que l'enfer le relève.*
> *L'invincible Louis achève*

Ce que tant d'autres rois ont vainement tenté.
De l'hérésie affreuse, inflexible, cruelle,
L'Église triomphe par lui...

Ce n'était pas la première fois que Quinault reniait ses poèmes frivoles. Mais, d'ordinaire, il ne le faisait qu'oralement. «Je l'ai vu cent fois déplorer ces égarements quand il a songé sérieusement à son salut», racontera Bossuet. À présent, il était décidé à laisser définitivement derrière lui le théâtre, l'opéra, le ballet et les chansons.

Ceux qui l'ont côtoyé à la fin de sa vie l'ont décrit comme un vieillard accablé par la peur du châtiment éternel, et qui aspirait seulement à rendre l'âme en état de sainteté. Il n'avait pourtant que cinquante-trois ans lorsqu'il mourut, le 26 novembre 1688.

En ce temps-là, les fauteuils ne restaient pas longtemps vacants. Quatre semaines après le décès du «doux Quinault», l'Académie française lui choisit pour remplaçant un personnage qui avait, lui aussi, ses entrées à la cour de Versailles, mais qui y accédait, si l'on peut dire, par une autre porte.

5

Celui qui allait renaître après deux siècles

«C'était un grand homme maigre, avec un grand nez, la tête en arrière, distrait, civil, respectueux, qui, à force d'avoir vécu parmi les étrangers, en avait pris toutes les manières, et avait acquis un extérieur désagréable, auquel les dames et les gens du bel air ne purent s'accoutumer, mais qui disparaissait dès qu'on l'entretenait de choses et non de bagatelles. C'était en tout un très bon homme, extrêmement sage et sensé, qui aimait l'État et qui était fort instruit, fort modeste et parfaitement désintéressé, qui ne craignait de déplaire au roi ni aux ministres pour dire la vérité et ce qu'il pensait et pourquoi jusqu'au bout, et qui les faisait très souvent revenir à son avis.»

Ce jugement du duc de Saint-Simon sur François de Callières, cinquième titulaire de ce fauteuil, a d'autant plus de valeur que le mémorialiste ne prodiguait pas facilement les compliments à ses semblables. De plus, les qualités qu'il reconnaissait au personnage allaient à l'encontre de l'impression qu'avaient de lui la plupart de ses contemporains.

C'est que son élection à l'Académie française,

le 23 décembre 1688, s'était faite pour de mauvaises raisons. De l'avis général, elle fut le résultat d'un *Panégyrique* encenseur qu'il venait de dédier à Louis XIV. Il est vrai qu'il avait publié à la même époque des textes d'un autre genre, notamment une *Histoire amoureuse de la guerre déclarée entre les anciens et les modernes*; et qu'il allait en publier, par la suite, plusieurs autres encore, dont le caractère littéraire ne faisait pas de doute; mais l'impression désastreuse produite par sa flagornerie initiale ne se dissipera jamais totalement.

C'est justement cette impression que le portrait brossé par Saint-Simon permet de corriger quelque peu: si Callières «ne craignait de déplaire au roi ni aux ministres pour dire la vérité», il faut supposer qu'il y avait en lui, sous les habits du courtisan flatteur, une âme d'honnête homme. Il posait, en tout cas, sur tout ce qui l'entourait, un regard lucide et perspicace, dans lequel l'ambition personnelle se mêlait à des préoccupations plus nobles; et c'est sans doute ce subtil mélange de réalisme et d'idéalisme qui lui vaut de nos jours, après deux siècles d'oubli, une notoriété croissante.

Car tel est bien son étonnant destin. Alors que son prédécesseur, Philippe Quinault, a peu à peu perdu toute la renommée dont il jouissait de son vivant, François de Callières a suivi le parcours inverse, puisque c'est longtemps après sa disparition qu'il a entamé sa marche vers la célébrité.

L'ouvrage qui lui a valu ce retour en grâce s'intitule:

De la manière de négocier avec les souverains. Il a été publié à Paris, au *Mercure galant,* nous apprend la couverture, *par Monsieur de Callières, Conseiller Ordinaire du Roi en ses Conseils, Secrétaire du Cabinet de Sa Majesté, ci-devant Ambassadeur Extraordinaire et Plénipotentiaire du feu Roi pour les Traités de Paix conclus à Ryswick, et l'un des Quarante de l'Académie française.* La thèse que l'auteur y défendait était hautement estimable. Alors que Clausewitz, qui viendra un siècle plus tard, expliquera aux gouvernants que la guerre est la poursuite de la politique par d'autres moyens, Callières estimait que ces moyens dévastateurs ne devaient pas être un instrument ordinaire de la politique, mais uniquement un dernier recours. «Tout prince chrétien, écrivait-il, doit avoir pour maxime principale de n'employer la voie des armes, pour soutenir et faire valoir ses droits, qu'après avoir tenté et épuisé celle de la raison et de la persuasion.» Une thèse qui peut nous sembler évidente, mais qui, pour un diplomate au service de Louis XIV, n'allait pas de soi. Elle pouvait même paraître subversive, vu que le monarque usait constamment de l'instrument militaire, ne terminant une guerre que pour en commencer une autre, ce qui laissa son royaume exsangue.

Le livre fut publié en 1716. La date n'est pas anodine. Le vieux monarque était mort l'année précédente, et tout porte à croire que le conseiller attendait justement que son maître ne fût plus de ce monde. On sait aujourd'hui que le texte était prêt depuis une bonne quinzaine d'années, et que Callières n'a cessé de se demander, pendant tout ce temps, quel serait le moment propice pour le publier. Comme l'a observé Saint-Simon, l'homme n'était pas dénué de courage, puisqu'il lui arrivait même de contredire le monarque absolu, et de le faire changer d'avis. Mais si, entre les murs d'un cabinet, un tel franc-parler constitue une attitude de loyauté et de fidélité, il cesse d'être acceptable dès lors qu'il est exposé sur la place publique. Callières a dû se demander cent fois s'il ne courrait pas le risque de mécontenter gravement le souverain en publiant un texte où il dit, par exemple : « Notre nation est si belliqueuse qu'elle ne connaît presque point d'autre gloire ni d'autres honneurs que ceux qui s'acquièrent par la profession des armes. De là vient que la plupart des Français qui ont quelque naissance et quelque élévation s'appliquent avec soin à acquérir les connaissances qui peuvent les avancer dans la guerre, et qu'ils négligent de s'instruire des divers intérêts qui partagent l'Europe et qui sont les sources des guerres fréquentes qui s'y font. »

Même si le qualificatif de « belliqueuse » voulait simplement dire « guerrière » et n'avait pas la connotation péjorative qu'il a acquise depuis, il n'en reste pas moins que le propos constitue une critique de la manière dont les affaires de l'État étaient conduites sous Louis XIV. Et l'on comprend que Callières ait renoncé à faire imprimer l'ouvrage du vivant de son maître.

À sa publication, *De la manière de négocier* connut un certain succès. Il eut quelques réimpressions, et fut traduit en anglais, en allemand, en italien comme en russe. Mais cet intérêt fut de courte durée. L'auteur, qui avait déjà plus de soixante-dix ans, mourut en 1717. Son texte et sa personne ne tardèrent pas à sombrer dans l'oubli. Et c'est exactement deux cents ans plus tard, en 1917, que l'ouvrage a entamé ce qu'il faut bien appeler une lente résurrection.

La Première Guerre mondiale faisait rage, ses victimes se comptaient déjà par millions, et bien des Européens, qui avaient abusé des préceptes de Clausewitz et de Machiavel, mesuraient à présent l'ampleur du carnage et de la désolation qui s'abattaient sur eux.

Quelques diplomates, qui avaient eu jadis entre les mains l'ouvrage de François de Callières, se souvinrent d'y avoir lu certains passages qui pouvaient éclairer d'une nouvelle lumière leur propre époque d'égarement.

«Tous les États dont l'Europe est composée ont entre eux, disait-il, des liaisons et des commerces nécessaires qui font qu'on peut les regarder comme des membres d'une même république... Il ne peut arriver de changement considérable en quelques-uns qui ne soit capable de troubler le repos de tous les autres. Les démêlés des moindres souverains jettent d'ordinaire de la division entre les principales puissances, à cause des divers intérêts qu'elles y prennent et de la protection qu'elles donnent aux partis opposés. L'histoire est pleine des conséquences de ces divisions qui ont eu souvent de faibles commencements, aisés à étouffer dans leur naissance, et qui ont causé ensuite des guerres sanglantes…»

Comment ne pas être sensible à de tels propos dans un continent où des alliances inconsidérées, des inimitiés obsédantes, des calculs mesquins, et une succession d'incidents somme toute mineurs avaient conduit à la plus monstrueuse des boucheries guerrières ? L'assassinat de l'archiduc autrichien François-Ferdinand à Sarajevo en juin 1914 devait-il nécessairement conduire à cette absurde mise en branle de la machine militaire, – invocation des alliances, mobilisation des troupes, confrontations, invasions, massacres ? N'était-ce pas là une faillite tragique pour les nations d'Europe, qui n'avaient pas compris que le premier de leurs devoirs était de concilier leurs intérêts divergents, de prévenir les conflits, et d'épargner ainsi à leurs peuples de si atroces souffrances ?

Le premier à redécouvrir les conseils salutaires de l'académicien français fut un haut fonctionnaire anglais, Sir Ernest Satow. Il publia en 1917 un *Guide de la pratique diplomatique*, qui se référait, chapitre après chapitre, à l'ouvrage de François de Callières, décrit comme «une mine de sagesse politique».

Deux ans plus tard, alors que la guerre venait de se terminer et que bien des Européens cherchaient à comprendre les causes du cataclysme qui s'était abattu sur eux, *De la manière de négocier* connut une nouvelle version anglaise, due à un autre diplomate de Sa Gracieuse

Majesté, Sir Alexander Frederick Whyte, qui avait été, jusqu'à une date récente, le secrétaire parlementaire privé de Sir Winston Churchill. Il prit certaines libertés dans sa traduction, se montrant plus fidèle à l'esprit de Callières qu'à son texte. Il est vrai que sa préoccupation n'était pas celle d'un traducteur, ni même d'un historien. Il voulait d'abord défendre l'honneur de sa profession. Aux yeux de l'opinion, la gigantesque tragédie qui venait de se produire était surtout due à la fourberie des diplomates. N'avaient-ils pas tissé toutes ces alliances qui avaient ligoté les gouvernements, les obligeant à se lancer dans un conflit qu'ils n'avaient pas souhaité ? Bien des gens, en Europe comme aux États-Unis, maudissaient à présent « la diplomatie secrète », qui avait poussé leurs nations, à leur insu, dans un engrenage meurtrier.

Face à cette grave mise en cause, l'ouvrage de François de Callières apparaissait comme un outil précieux de réflexion, non seulement sur « la manière de négocier », mais également sur la raison d'être de la négociation. Et sur ses objectifs, dont le tout premier devait être, selon l'auteur, la prévention des conflits. Tel était le testament paradoxal de cet homme qui avait passé sa vie entière au service d'un souverain belliqueux, alors que lui-même ne croyait qu'aux vertus de la paix. On possède de lui des lettres qu'il avait écrites à une dame qu'il admirait, la marquise d'Huxelles, et dans lesquelles il exposait librement sa vision du monde. La France ferait mieux, lui écrivait-il, de se cantonner dans ses frontières et de se préoccuper de la prospérité de son peuple, au lieu de chercher à conquérir les territoires de ses voisins.

Depuis cette première traduction moderne, il y en a eu bien d'autres – en espagnol, en chinois, en portugais, en japonais, en polonais, etc. – ainsi que de nouvelles éditions françaises. Mais c'est surtout dans le monde anglo-saxon que l'académicien connaît la fortune la plus spectaculaire.

C'était déjà le cas par le passé. On sait par exemple que Thomas Jefferson, le troisième président des États-Unis et l'un des pères de l'indépendance, avait lu et admiré l'ouvrage de Callières, dont il gardait un exemplaire dans sa bibliothèque de Monticello, en Virginie ; au cours des trois derniers siècles, bien d'autres personnalités de premier plan, en Angleterre comme aux États-Unis, ont vanté les mérites de Callières et de son livre ; l'un des plus admiratifs étant l'économiste et politologue John Kenneth Galbraith, l'un des penseurs américains les plus influents du XXe siècle, qui, après avoir lu *De la manière de négocier*, a écrit ce commentaire définitif : « On se demande ce qu'il y aurait de plus à dire sur le sujet. »

Il est vrai que l'ouvrage aborde d'innombrables thèmes – de l'étiquette à l'espionnage, et des bonnes mœurs au bon usage des pots-de-vin. Le tout émaillé d'observations subtiles, instructives ou cocasses, qui en rendent la lecture plaisante. Certaines des recommandations ont une portée universelle, et hautement morale.

«Contrairement à l'opinion vulgaire, dit l'académicien, on ne doit jamais fonder le succès de ses négociations sur de fausses promesses et sur des manquements de foi... Un négociateur doit considérer qu'il aura plus d'une affaire à traiter dans le cours de sa vie, qu'il est de son intérêt d'établir sa réputation et qu'il doit la regarder comme un bien réel, puisqu'elle lui facilite dans la suite le succès de ses autres négociations...» Et sur l'utilité d'un bon service de renseignements, il observe: «Il vaudrait beaucoup mieux qu'un général eût un régiment de moins dans son armée et qu'il fût instruit de l'état et du nombre de l'armée ennemie et de tous ses mouvements...»

D'autres recommandations portent la marque de son époque et de son milieu, voire de son tempérament propre. «Un bon buveur, écrit-il, réussit quelquefois mieux qu'un homme sobre à traiter avec les ministres des pays du Nord, pourvu qu'il sache boire sans perdre la raison, et en la faisant perdre aux autres.» Ou encore: «Si l'usage du pays où il se trouve lui donne un libre commerce avec les dames, le négociateur ne doit pas négliger de les rendre favorables en s'attachant à leur plaire et à se rendre digne de leur estime: le pouvoir de leurs charmes s'étend souvent jusqu'à contribuer aux résolutions les plus importantes d'où dépendent les plus grands événements. Mais en réussissant à leur plaire par sa magnificence, par sa politesse et même par sa galanterie, qu'il n'engage pas son cœur. Il doit se souvenir que l'amour est d'ordinaire accompagné de l'indiscrétion et de l'imprudence, et que dès qu'il se laisse assujettir aux volontés d'une belle femme, quelque sage qu'il soit, il court le risque de n'être plus maître de son secret.»

★   ★
★

Depuis le dernier tiers du XXe siècle, la renommée posthume de François de Callières n'a cessé de s'affirmer et de s'amplifier, dans les domaines les plus divers. Ce n'est plus seulement parmi les diplomates que son grand ouvrage est désormais considéré comme un classique, mais chez tous ceux qui s'intéressent à l'art de la négociation – à ses techniques, à son éthique, à son rôle dans les relations humaines, à son importance capitale pour le monde des affaires, etc. *De la manière de négocier* s'est retrouvé au programme des meilleures écoles de commerce comme des universités les plus prestigieuses – tel professeur de Harvard soulignant la valeur de Callières comme apôtre de la persuasion, voire comme l'inventeur de la notion de *soft power*; tel autre, à l'université de Tokyo, s'appuyant sur son ouvrage pour étudier les relations entre les sexes au sein de l'entreprise; tels autres encore, à l'université de Navarre, en Espagne, ou à la London Business School, prenant le discret conseiller de Louis XIV comme auteur de référence pour leurs cours. Étrangement, la France ne s'est associée qu'avec timidité à cette redécouverte de son académicien oublié.

François de Callières n'aurait pas été chagriné de voir son livre s'envoler de la sorte hors de l'enclos de la diplomatie. Lui-même ne parlait, d'ailleurs, que des qualités du «négociateur», jamais du «diplomate», un mot qui n'avait pas cours à son époque, qui ne fut forgé que bien après sa mort, et qu'il n'aurait probablement pas apprécié. Un négociateur a une mission à la fois plus précise et plus vaste. On peut négocier un traité, une trêve ou un contrat, mais également un mariage, une séparation à l'amiable, et aussi un emploi, une élection, une nomination – n'est-ce pas ainsi que Callières avait procédé pour obtenir un fauteuil à l'Académie française et un autre au cabinet du roi? Dans son ouvrage, conçu comme un manuel et non comme des Mémoires, il met rarement en avant sa personne; mais l'on devine qu'il a expérimenté lui-même avec avantage les préceptes qu'il suggère à ses lecteurs.

«Tout homme d'esprit qui désire fortement plaire à un autre homme avec qui il est en commerce y réussit d'ordinaire et trouve les moyens d'en être favorablement écouté», nous assure-t-il. «C'est un des plus grands secrets de l'art de négocier que de savoir, pour ainsi dire, distiller goutte à goutte dans l'esprit de ceux avec qui on négocie les choses dont on a intérêt à les persuader.»

Nous avons des raisons de le croire sur parole. Et, pour le conseil qui va suivre, il ne faut pas supposer qu'il nous parle seulement des pays étrangers où il est allé en mission; malgré les apparences, il songe aussi au sien: «Il faut que le négociateur s'accommode aux mœurs et aux coutumes du pays où il se trouve, sans y témoigner de la répugnance et sans les mépriser... Il ne doit jamais blâmer la forme du gouvernement, et encore moins la conduite du prince avec lequel il négocie. Il faut au contraire qu'il loue tout ce qu'il y trouve de louable, sans affectation et sans basse flatterie. Il n'y a point de nations et d'États qui n'aient plusieurs bonnes lois parmi quelques mauvaises ; il doit louer les bonnes et ne point parler de celles qui ne le sont pas.»

Son propre parcours apparaît, avec le recul du temps, comme une mise en pratique des enseignements contenus dans son ouvrage.

Quand il vit le jour dans la bourgade normande de Torigny, le 11 mai 1645, François de Callières ne semblait pas promis à un bel avenir dans la société fortement hiérarchisée de son siècle. Ni haute naissance, ni fortune considérable. Mais il a su faire fructifier patiemment, passionnément et rationnellement, les quelques avantages que ses proches lui avaient transmis.

Son père, Jacques de Callières, était un homme cultivé, qui entretenait une correspondance avec un certain nombre de lettrés, parmi lesquels Jean Chapelain, ainsi que d'autres membres de l'Académie française. Soucieux de donner à ses enfants une éducation de qualité, il leur apportait des livres, en veillant à ce qu'ils les lisent et les comprennent convenablement. Il avait lui-même écrit quelques ouvrages, notamment *La Fortune des gens de qualité et des gentilshommes particuliers*, qui connut un certain succès. Publié en 1657, quand François avait douze ans, il a très certainement influencé son parcours. Il suffit, pour s'en convaincre, de lire les têtes de chapitres de l'ouvrage paternel : « Que les gens de qualité doivent chercher leur fortune à la Cour», «La voie la plus courte est d'entrer dans les plaisirs du Prince», «Méthode de se conduire avec ses ennemis et ses envieux», «Que la soutane est plus propre à faire fortune que l'épée», «Qu'un gentilhomme peut passer du service d'un seigneur à celui du roi», etc. Sans oublier : «S'il faut être amoureux pour se marier», question à laquelle le hobereau normand apporte, en quatre pages, une réponse fort mitigée : peut-être bien qu'il faut être amoureux, et peut-être que non...

Il est clair, en tout cas, que la conduite du fils s'est inscrite dans la droite ligne des idées du père. Et que son livre a été écrit sur le même mode, mais en élargissant le propos.

On pourrait en dire de même d'un autre héritage paternel dont le futur académicien allait bénéficier pour se lancer dans le monde. Jacques de Callières s'était attaché à une famille de la grande noblesse, celle des ducs d'Orléans-Longueville. Il les servit fidèlement, toute sa vie ; et eux le protégèrent loyalement, ainsi que tous les siens. Il fut même, pour quelque temps, sous leur égide, gouverneur de Cherbourg.

Le fils se mit également à leur service, sut gagner leur confiance, et ils lui confièrent sa première grande mission. Le jeune duc, prénommé Charles-Paris, pensait avoir ses chances pour devenir roi de Pologne. François de Callières fut chargé de négocier la chose. Il se rendit sur place, tissa tout un réseau de relations, et fut, semble-t-il, en voie de réussir. La noblesse polonaise était partagée, en ce temps-là, entre un parti autrichien et un parti français, et celui-ci avait ses chances. Mais le candidat mourut en 1672 dans une escarmouche sur le Rhin, et les vaillants efforts de l'émissaire furent réduits à néant. Néanmoins, les relations qu'il avait tissées au cours de sa mission en Pologne lui permettront, vingt ans plus tard, de rendre un grand service à Louis XIV, ce qui lui vaudra d'entrer dans son cabinet.

Parvenu ainsi au centre du pouvoir, il sut se rendre indispensable et devint peu à peu l'un des plus proches collaborateurs du monarque ; en tant que secrétaire, il était même autorisé à contrefaire l'écriture de son maître en toute légalité. Sans doute ne devint-il jamais un personnage politique de premier plan, mais il eut suffisamment d'influence pour pouvoir obtenir la nomination de son frère cadet, Louis-Hector, comme gouverneur de la Nouvelle-France, lorsque le comte de Frontenac mourut en 1698. Le poste était très convoité, et par des dignitaires bien plus puissants ; mais lorsque Louis XIV trancha, ce fut en faveur de Callières, ce qui en dit long sur l'entregent de l'académicien.

Le jeune frère ne les déçut pas. Il se montra audacieux et entreprenant, au point d'être considéré par certains historiens comme le plus dynamique des administrateurs français du Canada; il alla même jusqu'à conseiller au roi de conquérir New York. Mais il disparut prématurément, sans avoir pu réaliser ses grandes ambitions. Atteint d'une hémorragie subite en mai 1703, le jour de l'Ascension, en pleine messe à la cathédrale de Québec, il décéda quelques jours plus tard. Montréal garde son souvenir en un lieu appelé Pointe-à-Callière.

★ ★

★

Dans l'ensemble, on pourrait dire que le cinquième titulaire de ce fauteuil avait conduit sa vie avec autant d'audace que de doigté. Comme un joueur constamment penché au-dessus de son échiquier, il contemplait la société de son temps, l'analysant, évaluant ses chances de succès s'il déplaçait ce pion, ou cet autre... Il avançait quand il le pouvait, il reculait quand il le devait; sans jamais perdre de vue son objectif ultime: laisser sa marque sur son siècle.

Arriviste, sans nul doute, mais non dénué de principes, il avait su se hisser bien au-dessus de sa condition initiale, et quand il mourut, à Paris, rue Saint-Augustin, le 5 mars 1717, il disposait d'une fortune considérable; on put notamment recenser, au nombre de ses possessions, plus de 250 tableaux de maîtres, parmi lesquels des Rubens, des Véronèse et des Titien... Ne s'étant jamais marié, il légua l'essentiel de sa fortune aux pauvres de Paris.

Il jouissait également, le jour où il est mort, d'une certaine renommée comme académicien, comme auteur, et surtout comme conseiller du grand roi ; mais il ne serait rien resté de lui, rien qui permît de préserver sa mémoire, sans ce livre étonnant qu'il publia en sa dernière année, et qui aura été son véritable passeport pour l'immortalité.

6

Celui qui murmurait à l'oreille du roi

Si François de Callières avait su se frayer un chemin jusqu'au cabinet de Louis XIV, son successeur, André-Hercule de Fleury, cardinal et homme d'État dans la lignée de Richelieu et de Mazarin, ira beaucoup plus loin encore : sous son mandat, le vingt-neuvième fauteuil de l'Académie sera le siège du pouvoir le plus élevé en France après le trône du roi.

Lorsqu'il fut élu, en avril 1717, il ne gouvernait pas encore le royaume, mais il était déjà un personnage considérable. Il avait été aumônier de la reine, puis de Louis XIV lui-même, qui, à la veille sa mort, l'avait nommé précepteur du futur Louis XV. Celui-ci n'avait que deux ans lorsqu'une succession de deuils avait fait de lui le dauphin de son arrière-grand-père, et cinq ans lorsqu'il fut proclamé roi. L'enfant chérissait le prélat et ne faisait confiance qu'à lui. Quand passait le carrosse royal et que la population se pressait sur le bord des routes pour tenter d'apercevoir son tout jeune souverain par-delà les tentures, l'homme qui se tenait près de lui, qui lui souriait et lui murmurait à l'oreille, c'était Fleury.

Celui-ci possédait, de ce fait, un statut hors du commun, et il ne se gênait pas pour le faire sentir à ceux qui l'approchaient, à commencer par ses confrères de l'Académie. «Messieurs, leur dit-il le jour de sa réception solennelle, lorsque vous m'avez fait l'honneur de m'admettre parmi vous par les suffrages unanimes de votre Compagnie, vous avez voulu sans doute honorer en moi le choix de votre Auguste Protecteur. Vous avez regardé la place d'académicien comme une espèce d'héritage attaché à celle où ce Prince m'appela dans les derniers jours de sa vie.»

Louis XIV était mort le 1er septembre 1715. Monté sur le trône en 1643, il avait régné pendant soixante-douze ans. Peu de Français se souvenaient du temps où il n'était pas leur souverain. Sans doute avaient-ils souffert des guerres interminables et épuisantes qu'il avait menées ; ils lui en avaient voulu, ils en étaient arrivés à le détester, et lui-même se serait repenti, dit-on, sur son lit de mort pour avoir tellement guerroyé ; mais la France connaissait l'ordre et la stabilité, les splendeurs du règne étaient un légitime sujet de fierté, et bien des gens se demandaient à présent si sa disparition n'allait pas ramener le pays vers des périodes de troubles et de frondes.

Fleury rappela à ses confrères qu'il était «le premier, depuis ce jour fatal», à être reçu dans leur Compagnie. Puis il leur parla du monarque défunt en des termes qui eussent été fort étranges, et même inconvenants, dans la bouche de toute autre personne que son ancien aumônier :

«Qu'il est beau de considérer Louis humilié sous la main de Dieu, recevant les adversités comme s'il y eût toujours été accoutumé, les regardant comme une juste punition des fautes inséparables de l'humanité, plus encore d'un long règne et des longues guerres qu'il eut à soutenir. Je ne crains point de vous rappeler ces jours pleins d'amertume et marqués presque tous par quelque nouvelle disgrâce, parce qu'ils ont servi même à augmenter sa gloire.»

Et lorsqu'il salua, devant ses confrères, la mémoire du cardinal de Richelieu, fondateur de leur Compagnie, le nouvel élu ne se gêna pas pour user d'une certaine familiarité:

«Armand, dont le seul nom présente d'abord à l'esprit l'idée d'un parfait ministre; lui, dont le sublime génie ne se bornait pas seulement à rendre, pendant son ministère, la France supérieure à tous les autres royaumes, mais qui embrassait encore la postérité dans ses vastes projets; Armand, dis-je, qui faisait de la gloire de l'État la sienne propre, avait bien connu qu'en rassemblant dans un même corps ces hommes excellents que l'amour des lettres et la conformité des inclinations avaient déjà unis dans le dessein de cultiver notre langue, il la porterait au plus haut point de perfection, et rendrait les Français capables de traiter les plus grands sujets avec une force et une éloquence dignes de la majesté de Rome et d'Athènes.»

Cette manière de s'exprimer, dont on se demande si elle avait eu pour effet d'impressionner ses auditeurs ou de les irriter, laisse croire qu'il se trouvait déjà au sommet du pouvoir. Alors qu'il n'en était encore qu'au tout début de son ascension. Un jour, «Hercule» figurerait, comme «Armand» et «Jules», au nombre des prélats qui dirigèrent la France; mais le 23 juin 1717, jour de sa réception à l'Académie, il était simplement le précepteur du roi.

Les plus grands honneurs lui sont venus tardivement, ce qui n'est pas l'aspect le moins remarquable de son parcours: prendre les rênes du gouvernement à soixante-treize ans, et les tenir d'une main ferme jusqu'en sa quatre-vingt-dixième année, c'est là un exploit qui n'a pas beaucoup d'équivalents dans l'histoire.

Fleury était le contraire de l'homme pressé, et bien qu'il fût redoutablement ambitieux, jamais il ne se montrait arriviste. Il attendait, avec une infinie patience, le moment propice.

Son itinéraire débute comme celui d'un grand nombre de jeunes gens de son milieu. Né en 1653 dans le Languedoc, à Lodève, au sein d'une famille de la petite noblesse, il avait été destiné, dès l'enfance, à la carrière ecclésiastique. Il commença ses études à Montpellier, chez les pères jésuites, et les poursuivit à Paris. Élève brillant, bel homme et causeur élégant, bénéficiant de l'appui de quelques puissants amis de son père, il devint, à l'âge de vingt-quatre ans, aumônier de la reine; puis, quelques années plus tard, aumônier du roi. Cette fonction le plaçait au cœur du pouvoir, sans pour autant faire de lui un personnage de premier plan. Le souverain avait à son service toute une «maison ecclésiastique» dirigée par un «grand aumônier», généralement un évêque, et qui comptait une dizaine d'aumôniers de tous rangs et tous âges. De ce fait, quand Fleury devint, en 1699, évêque de Fréjus, ce fut pour lui une promotion, même s'il vécut la chose un peu comme un exil, puisqu'il s'éloignait ainsi de la cour de Versailles, de ses fastes comme de ses intrigues.

Fréjus était, en ce temps-là, une ville frontalière, proche du duché de Savoie, qui comprenait encore Nice, et qui allait être un jour le noyau fondateur de l'Italie moderne. Louis XIV entretenait avec ce voisin, comme avec tous les autres, des relations compliquées, faites d'alliances et de ruptures, de guerres ruineuses et de fragiles réconciliations.

Les tensions atteignirent leur paroxysme en mai 1706 lorsque le roi dépêcha quarante mille hommes pour assiéger la capitale savoyarde, Turin. Le duc régnant, Victor-Amédée II, fit appel aux Autrichiens, qui vinrent à son secours, commandés par le prince Eugène, l'un des chefs militaires les plus renommés de son temps. Après quatre mois d'encerclement, la ville fut dégagée, et les troupes françaises sévèrement battues. Aujourd'hui encore, les Turinois fêtent chaque année, le 7 septembre, la levée du siège.

Après leur victoire, le duc et le prince décidèrent de pousser leur avantage en envahissant à leur tour les terres du roi de France, leur objectif étant le port de Toulon. Ils l'attaquèrent en août 1707, avec l'appui des

Anglais, et la flotte française dut se saborder pour ne pas tomber aux mains des assaillants.

Au cours de leur contre-attaque, ces derniers étaient parvenus aux abords de Fréjus, dont ils avaient exigé la capitulation. On aurait pu attendre de l'évêque qu'il se montrât, dans cette épreuve, fidèle au souverain dont il avait été l'aumônier. Mais il indiqua clairement que son premier souci était la préservation de ses ouailles. Il prit langue avec les envahisseurs, et leur proposa un marché : s'ils s'abstenaient de toute exaction contre la population, il offrirait un *Te Deum* à leur intention dans la cathédrale de la ville. De fait, Fleury célébra la messe en habit d'apparat à l'intention du duc de Savoie et du prince Eugène, lesquels empêchèrent leurs troupes de s'en prendre aux habitants ou aux récoltes. Les diocésains étaient évidemment ravis de cet arrangement, mais à Versailles, on se déchaîna contre « M. de Fréjus », comme on l'appelait alors. Faire chanter un hymne à la gloire des ennemis de son roi ? On accusa l'évêque d'ingratitude et de félonie.

Le seul à ne pas lui en vouloir, ce fut l'homme qu'il était censé avoir trahi : Louis XIV. Du moins on peut le supposer, puisque le jour – pas si lointain – où le monarque eut à choisir un précepteur pour son très jeune héritier, c'est Fleury qu'il désigna. Il prit même soin d'ajouter un codicille à son testament pour l'installer nommément dans cette fonction.

★ ★
★

Le futur Louis XV avait vécu, à l'âge de deux ans, une tragédie qui allait faire de lui, sa vie entière, un homme malheureux, fragile, insatisfait ; mais qui allait d'abord l'installer sur le trône. Une rougeole épidémique avait emporté en un mois sa mère, son père et son frère aîné, ne laissant que lui comme dauphin de son bisaïeul. Le prélat auquel on confia son éducation avait, de ce fait, un rôle qui allait bien au-delà de celui d'un précepteur ; il suppléait, chez l'orphelin royal, à l'absence des deux parents ; il était pour lui l'instituteur, le guide, le compagnon, le conseiller ; il était le bras solide sur lequel s'appuyer pour faire face à l'univers des adultes.

Jamais Louis XV ne se départira de son attachement d'enfant à son mentor. S'il n'en tenait qu'à lui, il l'aurait nommé, dès le commencement de son règne, aux plus hautes fonctions. Mais des factions puissantes s'affrontaient à la cour, et ni le trop jeune roi ni son vieux précepteur ne disposaient encore de l'autorité nécessaire pour imposer leur volonté.

Le pouvoir réel échut d'abord à Philippe d'Orléans, neveu de Louis XIV, qui l'assuma en qualité de régent. Son mandat fut marqué par l'une des banqueroutes les plus traumatisantes de l'histoire de France – celle du « Système » mis en place par le banquier écossais John Law. Pour tenter d'éponger l'énorme dette laissée par le règne dépensier de Louis XIV, et qui s'élevait à dix années de recettes, le régent avait autorisé Law à imprimer du papier-monnaie et lui avait donné la haute main sur les finances du royaume ; mais les billets perdirent rapidement de leur valeur, causant la ruine d'un grand nombre de personnes. Le gouvernement fut discrédité, et abondamment brocardé ; mais pas le roi, que sa jeunesse innocentait, et pour lequel la population éprouvait encore de l'affection.

Il fut déclaré majeur le jour de son treizième anniversaire. Le pouvoir réel demeura néanmoins entre les mains de l'ancien régent. Et quand celui-ci mourut subitement, en décembre 1723, alors que le souverain n'avait pas encore quatorze ans, un autre «prince du sang» se proposa comme ministre principal, le duc Louis-Henri de Bourbon, un individu notoirement débauché et incompétent. L'adolescent ne se sentit pas la force de refuser. Tout au plus put-il exiger que le nouvel homme fort ne discutât jamais avec lui des affaires du royaume sans la présence de Fleury.

Bourbon accepta de mauvaise grâce cette contrainte, en se promettant de s'en défaire dès qu'il le pourrait.

Il procéda en deux temps. D'abord, il s'employa à gagner la confiance de Louis XV en l'initiant aux plaisirs des hommes de son rang – notamment la chasse et le jeu. Puis, comprenant que le jeune monarque commençait à s'intéresser aux femmes, il lui promit de le marier très vite.

Le roi était déjà fiancé, en vertu d'un traité, à l'infante d'Espagne. Cela s'était passé sous la Régence, en 1721. Louis avait onze ans, et sa promise trois ans. Elle était quand même venue vivre en France, mais pas sous le même toit. On l'appelait «l'infante-reine». Quand, à l'âge de quinze ans, le roi manifesta l'ardente envie de prendre femme, sa fiancée n'avait que sept ans encore, et il n'était pas question de célébrer leur mariage avant plusieurs années. Le duc de Bourbon décida de rompre les fiançailles. Fleury y était opposé, mais il comprit que tel était le désir du roi, et il ne chercha pas à l'empêcher. La rupture eut des conséquences désastreuses. Il fallut renvoyer la princesse chez elle, ce que les Espagnols vécurent comme un affront, et quasiment comme une déclaration de guerre. Mais le régent ne se laissa pas détourner de son projet, et il se mit en quête d'un autre parti.

Son choix se fixa sur Marie, fille de Stanislas Leszczynski, un noble polonais qui était monté brièvement sur le trône, avec l'aide des Suédois, avant d'être destitué. Selon les critères de l'époque, c'était un peu une mésalliance pour un roi de France, mais la princesse avait d'autres avantages, notamment celui d'avoir vingt-deux ans, sept ans de plus que son époux, qui pouvait de ce fait consommer le mariage sans délai.

À l'arrivée de « sa Polonaise », Louis XV paraissait rayonnant, et amoureux. On possède une lettre écrite en septembre 1725 par le duc de Bourbon au père de la mariée pour l'informer d'un ton enthousiaste que le roi avait donné à son épouse, lors de leur première nuit de noces, « sept preuves d'affection »…

Quelques semaines plus tard, confiant dans la gratitude du couple royal envers celui qui avait été l'architecte de son bonheur, Bourbon jugea le moment propice pour se débarrasser de Fleury. C'était le

18 décembre, en début de soirée. Le duc se présenta dans les appartements de la reine et lui demanda d'envoyer son chevalier d'honneur auprès du roi pour le prier de venir la rejoindre. Louis XV s'entretenait justement avec son précepteur ; il le quitta aussitôt pour se rendre auprès de son épouse.

Il fut surpris de trouver le ministre chez elle, mais Bourbon lui expliqua qu'il avait dû recourir à cette feinte parce qu'il avait absolument besoin de le voir seul, afin de lui montrer une importante lettre qu'il venait de recevoir. Provenant d'un haut prélat en visite à Rome, elle formulait des accusations graves contre «M. de Fréjus», comme on continuait à appeler Fleury. Le roi la prit, la lut attentivement jusqu'au bout, puis la lui restitua sans un mot.

«Qu'en pensez-vous ? demanda le duc.

– Rien.»

Bourbon se montra étonné que le roi ne veuille pas réagir à ce qu'il venait de lui révéler. Ne voulait-il pas prendre des mesures, donner quelques ordres ? Que désirait-il ?

«Que les choses demeurent comme elles sont !» décréta Louis XV du bout des lèvres.

L'autre comprit que sa manœuvre avait échoué.

«J'ai donc eu le malheur de vous déplaire, Sire ?

– Oui.

– Votre Majesté n'a donc plus de bontés pour moi ?

– Non.

– Seul M. de Fréjus a votre confiance, Sire ?

– Oui.»

Le duc se jeta à ses pieds en lui demandant de lui pardonner. Le roi murmura, sans le regarder : « Je vous pardonne. » Puis il quitta la pièce.

Il était fâché, mais il voulait bien considérer que l'incident était clos. Il rentra dans ses appartements, et le lendemain à l'aube il s'en fut à la chasse, comme il le faisait souvent. À son retour, il demanda à voir son précepteur. On lui dit qu'il avait quitté Versailles.

C'est alors seulement que le roi comprit ce qui s'était passé la veille, à son insu. Fleury avait senti que quelque chose se tramait. Il s'était dirigé vers les appartements de la reine, mais les hommes du duc lui en avaient interdit l'accès. Se pourrait-il que son pupille ait décidé de le lâcher, sous l'influence commune de son épouse et de son ministre ? Il avait de la peine à le croire, mais il ne l'excluait pas.

Sa riposte, ce soir-là, fut un chef-d'œuvre d'habileté politique : il fit préparer son carrosse et quitta le château en laissant un message d'adieu à l'intention du roi. Mes services étant désormais inutiles, y disait-il en substance, je souhaite me retirer au séminaire des Sulpiciens, à Issy, pour y finir mes jours dans la prière et préparer mon salut. La lettre était aussi déférente qu'affectueuse, et lorsque Louis XV put la lire le lendemain, il fut persuadé que son homme de confiance s'était éloigné de lui pour toujours. Il passa la journée et la nuit à pleurer, et le lendemain matin on le vit hagard et effondré. Il ne voulait plus adresser la parole à sa femme, coupable d'avoir trempé dans un complot visant à le duper ; il paraissait si affecté, si dévasté, si furieux, que le coupable, Bourbon, n'eut d'autre choix que d'envoyer lui-même un émissaire à Issy pour supplier son rival de revenir.

Fleury consentit à regagner Versailles. Le duc demeura encore quelques mois à la cour, nominalement ministre, mais dépouillé de tout pouvoir réel. Le 11 juin 1726, un officier lui apporta ce mot, écrit de la main du roi, et dicté, pense-t-on, par son précepteur : «Je vous ordonne, sous peine de désobéissance, de vous rendre à Chantilly, et d'y demeurer jusqu'à nouvel ordre.» Louis-Henri de Bourbon s'en fut vivre sur ses terres. On ne le revit plus.

Pour le cas où la reine aurait eu l'intention de défendre le disgracié, Fleury se rendit lui-même dans ses appartements, porteur d'une autre note qu'il venait également de dicter à son royal pupille. «Je vous prie, Madame, et s'il le faut, je vous l'ordonne, de faire tout ce que l'évêque de Fréjus vous dira de ma part, comme si c'était moi-même.» Signé : «Louis.»

Dès le retour de Fleury du séminaire d'Issy, le roi lui proposa de devenir son principal ministre en remplacement de Bourbon. Il accepta la responsabilité, mais pas le titre. Il expliqua au souverain qu'étant donné son grand âge, il ne pouvait s'encombrer de tous les papiers qu'il aurait à signer s'il était officiellement ministre. De toute manière, il n'avait pas besoin de titres, seule comptait la confiance du souverain; tant qu'il l'avait, il pouvait diriger le gouvernement à sa guise; s'il la perdait, son titre ne lui servirait plus à rien, comme l'expérience de l'infortuné Bourbon venait de le démontrer. Cependant, las de n'être encore que «l'ancien évêque de Fréjus», il accepta avec empressement que le monarque intervienne auprès du pape pour lui obtenir un chapeau de cardinal.

Il avait soixante-treize ans quand il assuma le pouvoir, et tout le monde croyait qu'il était là pour quelques mois. Mais il vécut, il gouverna, sans paraître affecté par le passage des ans. Quatre-vingts, quatre-vingt-quatre, quatre-vingt-six – autour de lui, les gens ne pouvaient s'empêcher de compter. Quatre-vingt-sept, quatre-vingt-huit. À la cour, on le contemplait désormais avec incrédulité. Et lorsqu'il entra allégrement dans sa quatre-vingt-dixième année, avec toute sa tête, son autorité intacte, de même que la confiance de son roi, son âge devint, pour ses proches autant que pour ses détracteurs, un sujet d'émerveillement. En public on l'appelait, bien entendu, «Son Éminence», mais en son absence on murmurait: «Son Éternité»...

Le duc de Saint-Simon, qui avait montré tant d'estime pour François de Callières, détestait son successeur à l'Académie, et feignait de le mépriser. Tout juste reconnaissait-il que «Fleury était fort beau et fort bien fait dans sa première jeunesse, et en a conservé les restes toute sa vie». Il lui reprochait de s'être toujours aplati devant les hauts personnages, fréquentant assidûment leurs demeures, «où, à la vérité, il était sans conséquence, et suppléait souvent aux sonnettes avant qu'on en eût l'invention».

Le duc ne pouvait admettre qu'un petit hobereau de province ait pu s'élever tellement au-dessus de sa condition. Il est vrai que Callières venait d'une origine plus modeste encore; mais il était demeuré un serviteur du roi; alors que Fleury était devenu, selon l'expression rageuse du mémorialiste, «plutôt roi absolu que ministre».

Le mentor de Louis XV eut, à son époque comme après, bien d'autres détracteurs. Son gouvernement, venu après un grand règne fastueux, ne pouvait que paraître mesquin, et sans panache. Son souci était de rétablir la paix, d'assainir les finances, de stabiliser la monnaie, et de remettre l'économie en état de marche. On lui reprocha de n'avoir pas tenu tête à l'Angleterre dans la bataille pour le contrôle de l'Amérique du Nord; s'il voulait réellement faire du Nouveau Monde une Nouvelle France, il aurait dû s'en donner les moyens, et notamment bâtir une marine puissante; cela eût entraîné d'énormes dépenses, et il choisit de ne pas le faire. Il eut une gestion prudente, peut-être trop prudente, préférant quelquefois essuyer des pertes plutôt que de s'engager dans une aventure hasardeuse. Une attitude plus proche de la doctrine de Callières que de celle de Louis XIV. D'ailleurs, quand on lit soigneusement le discours de réception que Fleury prononça lors de sa réception à l'Académie, on y décèle une critique du défunt roi, dont les souffrances, en ses derniers jours, auraient été «une juste punition» du ciel, et moins pour ses «fautes inséparables de l'humanité» – luxure, adultère, etc. – que pour ses «longues guerres».

Cette vision de la politique, en vertu de laquelle il vaut mieux, pour un pays, assainir ses finances et développer son réseau routier plutôt que de conquérir une nouvelle province, correspond à la sensibilité qui est aujourd'hui la nôtre. Interrogé un jour sur les périodes de l'histoire où son pays fut le mieux administré, l'ancien président Valéry Giscard d'Estaing répondit sans hésiter que c'était «ce formidable moment, entre 1726 et 1743, où le gouvernement de la France fut dirigé par le cardinal de Fleury, le meilleur Premier ministre que nous ayons eu, un homme provincial, rigoureux, qui a redressé les comptes du pays sans s'enrichir lui-même».

Déjà au xviiie siècle, l'attitude de Fleury, mélange de bon sens et de rigueur, lui avait valu quelques louanges inattendues. Voltaire, dans son *Précis du siècle de Louis XV*, écrit à son propos : «On avait besoin de cette paix qu'il aimait... Il laissa tranquillement la France réparer ses pertes et s'enrichir par un commerce immense sans faire aucune innovation, traitant l'État comme un corps puissant et robuste qui se rétablit de lui-même.» Opinion nuancée, et quasiment élogieuse venant d'un homme qui n'était pas de son bord, et qui venait de dire de lui, quelques lignes plus haut, que «l'élévation manquait à son caractère» et que son esprit était «borné»...

Le marquis de Condorcet, qui détestait le cardinal et vénérait le philosophe, auquel il a consacré une remarquable biographie, se montrait agacé par cette relative bienveillance. Son explication : «Voltaire était assez lié avec lui, parce qu'il était curieux de connaître les anecdotes du règne de Louis XIV, et que Fleury aimait à les conter.» Se dépêchant d'ajouter que celui-ci fut, pour le philosophe, «moins un protecteur qu'un persécuteur caché».

Cette dernière observation évoque un trait de caractère que tous les détracteurs de Fleury lui reprochent, parfois de manière explicite, et parfois entre les lignes, l'accusant également de l'avoir inculqué à son royal pupille : la dissimulation. Il est difficile de ne pas donner foi à tant de témoignages concordants ; mais il est vrai aussi qu'un tel vice ne devait pas être rare parmi ceux qui fréquentaient la cour.

Plus sérieuse est cette autre accusation que formule Condorcet : «Fleury avait voulu empêcher les Français de parler et même de penser, pour les gouverner plus aisément.» De fait, le cardinal n'hésitait pas à faire preuve de sévérité dès qu'il flairait un parfum d'insoumission à l'Église ou à l'autorité royale. Il sévit contre les jansénistes, qui prônaient une vision austère de la religion et se montraient méfiants à l'égard de l'absolutisme. En 1731, il ordonna la fermeture du Club de l'Entresol, qui regroupait une vingtaine de lettrés et se réunissait le samedi soir dans un hôtel particulier de la place Vendôme pour discuter librement des réformes sociales et politiques ; ce cercle, inspiré d'une tradition anglaise, et qui joua un rôle dans le commencement des

Lumières, était pourtant fréquenté par plusieurs de ses confrères académiciens.

Fleury s'inquiéta ensuite d'un autre phénomène nouveau, également venu d'Angleterre, et qui exerçait un grand attrait, notamment au sein de la noblesse et parmi les lettrés : la franc-maçonnerie. Celle-ci revendique des origines très anciennes, mais il est généralement admis que sa forme d'organisation moderne a commencé avec la création d'une grande loge à Londres en 1717. Les règlements sur lesquelles elle s'appuyait ont été élaborés par un certain nombre de personnalités fondatrices, parmi lesquelles se trouvait un pasteur huguenot, natif de La Rochelle, Jean Théophile Desaguliers, qui avait dû fuir la France avec sa famille à la révocation de l'Édit de Nantes.

Les premières loges venaient de se former à Paris ; d'abord avec des ressortissants anglais, puis avec quelques Français de haut rang. Fleury commença par charger la police d'enquêter, et au bout de quatre mois, il parvint à la conclusion que les loges devraient cesser leurs activités, celles-ci ayant « déplu à Sa Majesté ». La vérité était probablement l'inverse : Louis XV semblait tenté de se faire initier, encouragé dans cette voie par plusieurs de ses familiers qui l'y avaient précédé, et son ancien précepteur voulait y couper court. Mais ce ne fut qu'un coup de semonce. La répression fut très limitée ; chaque fois que les forces de l'ordre étaient informées d'une réunion dans un lieu public et faisaient une descente pour l'interdire, elles y trouvaient des grands du royaume, tels le duc d'Antin ou le comte de

Clermont. Les fonctionnaires de police, ne voulant pas avoir d'ennuis, se contentaient de sanctionner légèrement les taverniers.

À vrai dire, Fleury semble avoir eu, en la matière, des sentiments mitigés. Les francs-maçons l'avaient contacté dès leurs premiers pas en France, pour lui manifester leur souhait de voir le roi lui-même accepter la dignité de grand maître. Ayant réfléchi, le cardinal jugea qu'il serait imprudent pour le souverain de s'engager dans une voie susceptible de le mettre en conflit avec le pape, qui se méfiait du mouvement et qui s'apprêtait à le condamner. Dans le même temps, Fleury n'avait aucunement envie de croiser le fer sur cette question avec les amis et les cousins du monarque.

Sa gestion de ce dossier épineux se révéla, selon certains historiens, fort subtile, et d'une grande habileté. Ainsi, ayant appris que le Saint-Siège allait publier une bulle pour condamner la franc-maçonnerie et interdire aux catholiques d'y adhérer, Fleury devança la chose en l'interdisant lui-même en août 1737. De sorte que, le jour où la bulle, intitulée *In eminenti apostolatus specula*, fut effectivement publiée quelques mois plus tard, il refusa de la faire appliquer dans le royaume, estimant que le problème y avait déjà été réglé.

Au sein de la Compagnie, le titulaire du vingt-neuvième fauteuil se comportait parfois comme s'il

était un maître souverain plutôt qu'un membre parmi
d'autres. Quand le poète Louis Racine, fils du célèbre
dramaturge, voulut présenter sa candidature, Fleury,
qui le soupçonnait de sympathies jansénistes, l'éloigna
de Paris en le faisant nommer inspecteur des finances
royales à Marseille, puis dans d'autres villes ; il ne put
regagner la capitale qu'un quart de siècle plus tard,
après la mort du cardinal.

Celui-ci empêcha également, pour un temps, l'élection de Montesquieu, dont les *Lettres persanes* conte-
naient des critiques à peine voilées contre le pouvoir
royal. L'auteur prétendit que son éditeur avait ajouté de
son propre chef les passages incriminés ; il alla même
jusqu'à publier une édition expurgée qu'il présenta
comme la seule authentique. Fleury n'était évidemment pas dupe, mais la contrition de Montesquieu lui
suffisait ; il fit semblant de croire à son explication, et
le laissa élire.

C'était en 1728. Sans doute le grand écrivain avait-il
dû, en quelque sorte, « se baisser » pour traverser la
porte, mais son entrée à l'Académie annonçait le commencement d'une nouvelle ère, au cours de laquelle les
prélats allaient peu à peu perdre leur influence au profit
des philosophes. Désormais, le rapport de forces entre
les partisans des deux clans allait se renverser, si bien
qu'à la mort du cardinal de Fleury, en janvier 1743,
Voltaire, le chef incontesté du parti adverse, convoitera
lui-même son fauteuil.

Quelle victoire pour les philosophes si cette place
emblématique pouvait être prise d'assaut !

7

Celui qui est passé devant Voltaire

«L'Académie, le roi et le public m'avaient désigné pour avoir l'honneur de succéder à M. le cardinal de Fleury parmi les Quarante; mais M. de Mirepoix n'a pas voulu, et il a enfin trouvé, après deux mois et demi, un évêque pour remplir la place qu'on me destinait. Je crois qu'il convient à un profane comme moi de renoncer pour jamais à l'Académie, et de m'en tenir aux bontés du public...»

Voltaire, qui écrivit cette lettre à un ami le 4 avril 1743, ne renoncera évidemment pas «pour jamais». Il se représentera au bout de trois ans et sera élu à l'unanimité. Sa déconvenue provisoire rappelait celle de Corneille, survenue cent ans plus tôt; pour l'auteur du *Cid*, l'explication résidait dans l'inimitié que lui vouait Richelieu, qui venait de mourir et dont on ne voulait pas offenser la mémoire; dans le cas de l'auteur de *Zadig*, qui était lui aussi la gloire littéraire de son siècle, les causes étaient comparables, quoique moins apparentes.

Lui-même accusait donc l'évêque de Mirepoix, un académicien connu pour son hostilité aux philosophes des Lumières, et qui serait allé, dans cette affaire, à l'encontre des souhaits de Louis XV ; mais Condorcet, qui était un peu le fils spirituel de Voltaire, conteste cette version. Ayant fait sa petite enquête après le décès de son maître, il avait appris que « c'était le roi lui-même qui n'avait pas voulu que Voltaire succédât au cardinal de Fleury dans sa place d'académicien, Sa Majesté trouvant qu'il y avait une dissemblance trop marquée entre ces deux hommes pour mettre l'éloge de l'un dans la bouche de l'autre, et donner à rire au public d'un rapprochement semblable ».

L'explication est convaincante, et Voltaire devait s'en douter. Mais il ne pouvait l'avouer publiquement ; s'il voulait avoir des chances de se faire élire un jour, il avait intérêt à prétendre que le roi lui était favorable.

L'évêque qu'on avait « trouvé » pour « remplir la place » convoitée par le philosophe était celui de Bayeux, Paul d'Albert de Luynes. Un prélat en remplaçait donc un autre ? On pourrait ajouter qu'à l'instar de son prédécesseur, le nouveau titulaire du vingt-neuvième fauteuil allait bientôt revêtir la pourpre cardinalice, et qu'il allait également exercer les fonctions d'aumônier auprès de la famille royale. Mais ces similitudes ne sont qu'apparentes, les deux hommes n'avaient pas grand-chose en commun. Fleury avait l'ambition de maintenir l'autorité royale ; Luynes ne fut que le témoin de sa déliquescence, quasiment jusqu'au bout puisqu'il mourut en 1788, juste avant l'effondrement de la monarchie.

Le duc de Saint-Simon n'avait-il pas dit du premier qu'il avait gardé, en sa vieillesse, des «restes» de sa beauté? La formule vaut également pour la période où il dirigea le gouvernement. Tant que Fleury fut aux affaires, l'Ancien Régime eut encore de beaux restes. Après lui, ce fut en quelque sorte «le déluge», ou tout au moins une inexorable descente aux enfers.

Le précepteur de Louis XV avait su le protéger de la férocité du monde, comme de ses propres démons. À la mort du vieil homme, le monarque prétendit gouverner désormais seul, à l'instar de son prestigieux bisaïeul. Mais il était lui-même gouverné par ses maîtresses successives, et son prestige dans le pays comme à la cour en pâtit.

À cet égard, un épisode révélateur mérite d'être relaté. En août 1744, lors d'un déplacement à Metz, le roi tomba malade et crut sa dernière heure arrivée. Son aumônier, appelé à son chevet pour lui donner l'extrême-onction, exigea de lui le renvoi immédiat de sa favorite du moment, ainsi qu'une confession publique de ses péchés. Celle-ci sera aussitôt transcrite et diffusée dans de nombreuses paroisses du royaume, ce qui ternira considérablement l'image du roi. Du vivant de Fleury, une telle humiliation ne se serait jamais produite.

Dès qu'il fut rétabli, le monarque chassa l'aumônier, et renoua avidement avec tout ce dont on l'avait contraint à se repentir. Mais cette mésaventure le marqua durablement. Il en conçut un ressentiment profond à l'endroit des dévots. Ce n'est sans doute pas un hasard si la maîtresse qu'il prit alors, et qui devint pratiquement reine de France, Mme de Pompadour, était une fervente admiratrice des philosophes. Fille du sieur Poisson, riche négociant parisien, et petite-fille d'un paysan, elle avait rencontré le roi lors d'un bal masqué en février 1745, six mois après l'épisode de Metz. Il la fit marquise, l'installa à Versailles, et, séduit par son intelligence autant que par sa beauté, il prit l'habitude de la consulter sur toutes les affaires du royaume, au grand dam du clergé, qui ne voyait en elle qu'une pécheresse, et de la noblesse, qui ne voyait en elle qu'une roturière et une parvenue. Ce fut «la Pompadour» qui persuada le roi de ne plus s'opposer à l'entrée de Voltaire à l'Académie.

Puisque le vote fut acquis, nous dit-on, à l'unanimité, il faut supposer que Luynes se rallia à ce choix. Sans enthousiasme, très certainement, vu qu'il n'avait aucune affinité avec le clan des philosophes; mais avec grâce. Car cet homme aux convictions fermes et simples n'avait en lui aucune mesquinerie. On hésiterait à l'affirmer si la chose n'avait été confirmée par des contemporains de tous bords – et notamment par Condorcet lui-même; qui, tout en raillant un peu ce prince de l'Église, le décrivait en des termes plutôt affectueux: «Zélé pour la religion, le cardinal de Luynes s'efforça par des sermons, par des instructions pastorales, d'empêcher l'incrédulité de faire des progrès dans le troupeau confié à ses soins; mais ce zèle infatigable n'était souillé d'aucune amertume. Sincère dans sa croyance, il pensait que d'autres pouvaient l'être dans une croyance contraire, et que pour l'intérêt même de sa cause, il devait donner l'exemple de l'indulgence et de la justice.» De ce fait, nous dit Condorcet, il est arrivé au cardinal de voter à l'Académie pour des hommes qu'il jugeait «incrédules», lorsque leurs qualités intellectuelles et humaines les rendaient dignes d'être élus. Il est vrai que, par ailleurs, le philosophe trouvait le prélat «verbeux»; mais cela n'enlève rien aux qualités morales qu'il lui reconnaissait.

Cela dit, l'influence du cardinal de Luynes au sein de la Compagnie ne fut jamais très significative. Contrairement à son prédécesseur, il n'avait aucun appétit pour le pouvoir. Ce n'était pas un politique, ni un stratège, et encore moins un intrigant. Studieux, contemplatif, passionné d'astronomie et de météorologie, il passait ses heures libres à scruter le ciel en compagnie de quelques savants de ses amis, et à fabriquer des instruments de mesure – un passe-temps apprécié des riches lettrés de son siècle.

Né en 1703, fils cadet du duc de Chevreuse et petit-fils du duc de Luynes, issu d'une famille qui s'illustra pendant des siècles dans la carrière militaire, il était lui-même destiné au métier des armes. À seize ans, il était déjà colonel. Mais un incident survint, qui le détourna de cette voie. Un homme l'avait gravement insulté, et le code d'honneur exigeait de lui qu'il lavât son nom dans le sang. Le jeune officier ne pouvait néanmoins s'y résoudre ; il estimait qu'un tel comportement serait contraire à sa foi religieuse. Il hésitait, il temporisait, et ce fut finalement sa propre mère qui lui imposa de choisir : soit il se battait en duel, soit il entrait dans les ordres. Il préféra le séminaire. «Il quitta une profession dangereuse pour une vocation à laquelle des inclinations douces et pieuses semblaient l'avoir préparé», nous dit la volumineuse et fort précieuse *Biographie universelle ancienne et moderne* publiée au siècle suivant.

Sans doute le futur académicien avait-il suivi en cela ses convictions intimes et son tempérament ; il est cependant difficile de ne pas voir dans son choix personnel un symptôme révélateur de l'état d'esprit qui se propageait dans sa caste, une noblesse à bout de souffle, qui possédait encore pouvoir et privilèges, mais qui n'avait plus le désir de se battre.

Propulsé dans les hautes sphères du clergé par sa naissance plutôt que par son ambition, il fut nommé, à vingt-six ans, évêque de Bayeux, avant de devenir archevêque de Sens, «primat des Gaules et de Germanie», puis cardinal. Premier aumônier de la dauphine Marie-Josèphe, épouse du prince héritier Louis-Ferdinand, dit Louis de France, il se lia d'amitié avec celui-ci.

Beaucoup de gens plaçaient alors leurs espoirs dans le dauphin, qui était le seul fils légitime de Louis XV. Il semblait plus réfléchi que son père et moins préoccupé par la poursuite de ses plaisirs, ne pratiquant ni la chasse ni l'adultère. Alors que le roi et la reine Marie Leszczynska n'étaient plus mariés que sur le papier, qu'ils ne s'adressaient plus jamais la parole, et qu'ils se faisaient même une sourde guerre quotidienne, le dauphin et sa femme étaient manifestement fidèles l'un à l'autre, consacraient du temps à leurs enfants et paraissaient amoureux, ce qui leur valait l'estime de tous ceux que la situation du royaume préoccupait.

Louis de France faisait confiance au cardinal de Luynes, et s'il était monté sur le trône, il l'aurait probablement invité à jouer un rôle comparable à celui qu'avait eu Fleury. On ne le saura jamais, vu que le dauphin contracta une grave maladie des poumons, peut-être la tuberculose, et qu'il mourut dans d'atroces souffrances en décembre 1765. Il avait trente-six ans. Son épouse, atteinte du même mal pour être demeurée près de lui, mourut quinze mois plus tard. Le prélat eut le triste privilège d'assister l'un puis l'autre en leurs derniers instants.

Certains historiens considèrent que la disparition de ce prince enleva à l'Ancien Régime sa dernière chance d'éviter le désastre qui s'annonçait. Si, à la mort de Louis XV, survenue en 1774, son successeur avait été son fils, un homme de quarante-quatre ans, mûr, réfléchi, expérimenté, le royaume aurait sans doute été en de meilleures mains que celles de son petit-fils Louis XVI, monté sur le trône à l'âge de dix-neuf ans. Mais ce ne sont là que conjectures. La monarchie aurait-elle été sauvée ? Aurait-elle connu un sursis ?

Aurait-elle été balayée, de toute manière, par le vent de l'histoire ? Jamais on ne pourra le déterminer avec certitude.

Pour le cardinal de Luynes, la mort du dauphin fut, à n'en pas douter, un épisode douloureux, ainsi qu'une amère déception. Il y en aura bien d'autres. Au cours des décennies qui précédèrent la Révolution, le septième titulaire de ce fauteuil allait être un témoin accablé, désemparé, et totalement impuissant, du naufrage de l'ordre social au sein duquel il avait grandi.

L'un des épisodes les plus traumatisants eut lieu en 1763, lorsque les jésuites furent expulsés du royaume de France. La Compagnie de Jésus traversait, en ce temps-là, la période la plus sombre de son histoire. Elle venait d'être chassée du Portugal et de ses colonies ; elle le sera également d'Espagne, de Naples, de la Sicile et du duché de Parme, avant d'être officiellement supprimée par le pape en 1773.

Les raisons que l'on a invoquées pour cette disgrâce sont fort diverses. Dans les Amériques, on accusait l'ordre d'encourager les indigènes à s'organiser et à se gouverner eux-mêmes, et même de les préparer à l'indépendance ; en Chine, on les accusait de vouloir faciliter leur implantation en acceptant des accommodements entre la doctrine chrétienne et les pratiques rituelles ancestrales ; en Europe, on les jugeait arrogants, et certainement trop influents, vu qu'ils avaient la haute main sur l'éducation des élites. Leurs ennemis étaient nombreux : les jansénistes autant que les francs-maçons, qu'ils avaient combattus avec le même acharnement; et les partisans de l'absolutisme, qui voyaient en eux un État dans l'État, autant que les adeptes des Lumières, qui voyaient en eux les moines-soldats de la Superstition. À l'instant où sont écrites ces lignes, le trône de saint Pierre est occupé par un prélat issu de la Compagnie de Jésus; mais c'est la première fois qu'un tel événement se produit; par le passé, les souverains pontifes ont souvent éprouvé du ressentiment à l'endroit d'un ordre qui possédait ses propres opinions, ses propres méthodes, et sa propre structure hiérarchique, au sommet de laquelle trônait un supérieur surnommé «le pape noir».

Le cardinal de Luynes était hostile à l'expulsion des jésuites; il adressa des messages en ce sens à Louis XV, ainsi qu'au pape. Sans succès. Trop de forces étaient à présent coalisées de par le monde; malgré son titre somptueux, le «primat des Gaules et de Germanie» ne pouvait influer sur le cours des choses. Il chercha la consolation dans les sciences. On ne lui connaît qu'une publication en ces années-là, un mémoire sur les propriétés du mercure dans les baromètres.

Parmi les mesures prises à l'encontre des jésuites lors de leur expulsion du royaume de France, il y avait la fermeture de leurs établissements et la confiscation de leurs biens. Leur noviciat parisien, imposante bâtisse située près de l'église Saint-Sulpice, devint même, durant quelques années, le siège du Grand Orient. À ce titre, il accueillit l'une des cérémonies les plus emblématiques dans l'histoire de la franc-maçonnerie française, à savoir : l'initiation de Voltaire au sein de la loge dite «des Neuf-Sœurs».

Celle-ci avait été fondée en 1776 à l'initiative de Madame Helvétius, veuve du philosophe rationaliste, pour honorer la mémoire de son époux. Le but était de rassembler, au sein d'un même atelier maçonnique, des savants, des artistes, des philosophes, des poètes ; les «sœurs» étant les neuf muses de la mythologie grecque. La loge compta à son apogée plus de cent soixante «frères», parmi lesquels de nombreuses célébrités du moment, comme Benjamin Franklin, l'un des pères de l'indépendance américaine, le sculpteur Houdon, l'inventeur Jacques-Étienne Montgolfier, l'astronome Lalande, le zoologiste Lacépède, ou le docteur Guillotin – ainsi qu'une poignée d'académiciens. Pourtant, elle ne serait jamais sortie de l'ombre si elle n'avait eu la chance d'accueillir le grand homme de cette époque-là : Voltaire.

C'était en 1778. Le patriarche de Ferney n'avait plus mis les pieds à Paris depuis vingt-huit ans, les autorités lui ayant fait comprendre, à plusieurs reprises, que sa présence n'était pas souhaitée. Mais cette fois, il avait tenu à revenir quand même. Il voulait revoir la capitale, coûte que coûte. Que pouvaient faire ses ennemis ? L'embastiller ? À quatre-vingt-trois ans ? Eh bien, qu'ils le fassent ! Il arriva à Paris le 10 février, et s'installa chez l'un de ses protégés, le marquis de Villette, dont la résidence était située «quai des Théatins», devenu depuis «quai Voltaire»; il y mourut cent dix jours plus tard, à l'issue d'un séjour qui fut une véritable apothéose.

Une précieuse source d'information sur cet ultime voyage est la *Correspondance littéraire, philosophique et critique* tenue en ces années-là par le baron de Grimm, aidé par Diderot, et quelquefois par d'autres collaborateurs. Chronique attentive de la vie culturelle entre 1746 et 1793, elle était adressée régulièrement à un petit nombre d'abonnés; leurs noms étaient tenus secrets, mais l'on sait que Catherine II, impératrice de Russie, en faisait partie.

Lundi 30 mars, Voltaire se rendit au Louvre, où siégeait toujours l'Académie française. La population s'était amassée sur les quais et dans les rues par lesquelles il devait passer. La foule ne s'écartait que lentement sur son passage, et se précipitait aussitôt sur ses pas avec des applaudissements et des acclamations multipliées, rapporte la *Correspondance*. Avant d'ajouter: «L'Académie est venue au-devant de lui jusque dans la première salle, honneur qu'elle n'a jamais fait à aucun de ses membres, pas même aux princes étrangers qui ont daigné assister à ses assemblées. On l'a fait asseoir à la place du directeur, et par un choix unanime on l'a pressé d'accepter la charge qui allait être vacante à la fin du trimestre… L'assemblée était aussi nombreuse qu'elle pouvait l'être sans la présence de messieurs les évêques qui s'étaient tous dispensés de s'y trouver, soit que le hasard, soit que cet esprit saint qui n'abandonne jamais ces messieurs, l'eût décidé ainsi pour sauver l'honneur de l'Église ou l'orgueil de la mitre ; ce qui, comme chacun sait, ne fut presque toujours qu'une seule et même chose. » La pointe anticléricale ne surprend guère sous la plume d'un admirateur de Voltaire, mais il est exact que le cardinal de Luynes et les autres prélats de la Compagnie, ne pouvant empêcher leurs confrères de rendre hommage au vénérable revenant, n'avaient eu d'autre choix que celui de s'absenter.

Le jour même, dans l'après-midi, Voltaire se rendit à la Comédie-Française, où la troupe et le public lui firent un accueil mémorable. Il n'en sortit que plusieurs heures plus tard, alors qu'il faisait nuit, et qu'une foule en délire l'attendait. « Le peuple criait : "Des flambeaux, des flambeaux, que tout le monde puisse le voir !" Quand il a été en voiture, la foule s'est pressée autour de lui ; on est monté sur le marchepied, on s'est accroché aux portières du carrosse pour lui baiser les mains... On a supplié le cocher d'aller au pas, afin de pouvoir le suivre, et une partie du peuple l'a accompagné ainsi, en criant des "Vive Voltaire !" jusqu'au pont Royal. »

Et le rédacteur de la *Correspondance* précise, dans une note en bas de page : « Les moindres détails de cette journée pouvant avoir quelque intérêt, nous ne voulons point manquer de rappeler ici le costume dans lequel M. de Voltaire a paru. Il avait sa grande perruque à nœuds grisâtres, qu'il peigne tous les jours lui-même, et qui est toute semblable à celle qu'il portait il y a quarante ans ; de longues manchettes de dentelles, et la superbe fourrure de martre zibeline, qui lui fut envoyée il y a quelques années par l'impératrice de Russie, couverte d'un beau velours cramoisi, mais sans aucune dorure…»

Il ne serait peut-être pas inutile de préciser que cette manière de traiter un personnage célèbre comme une idole vivante était inconnue jusque-là. Depuis, le vedettariat est entré dans les mœurs – pour des acteurs, des chanteurs, des sportifs, ou des dirigeants politiques. On pourrait presque dire que l'accueil fait à Voltaire lors de son dernier séjour à Paris fut l'acte de naissance d'un comportement social appelé à un grand avenir.

Huit jours plus tard, le mardi 7 avril, ce fut la cérémonie maçonnique dans l'ancien noviciat des jésuites. Elle eut lieu dans la matinée. La grande salle était «ornée de tapisseries bleues et blanches, rehaussées d'or et d'argent, ainsi que de drapeaux et de bannières des loges», nous apprend une source maçonnique.

Là encore, de nombreuses personnes s'étaient rassemblées pour contempler le patriarche. Et lorsqu'il parut, appuyé sur le bras de Benjamin Franklin, l'Europe des Lumières soutenue par l'Amérique de la Révolution, et en ce lieu si emblématique, les spectateurs eurent le sentiment d'être les témoins oculaires de la métamorphose du monde.

Un bouleversement, oui, mais dans la circonspection. Et même dans le consensus. Dans la salle où se déroulait la cérémonie, on avait placé un buste de Frédéric II de Prusse, et un autre de Louis XVI, le premier parce qu'il fut l'ami de Voltaire et un éminent franc-maçon, le second parce que la loge voulait se montrer déférente envers les autorités du royaume. La cérémonie fut abrégée, par égard pour l'âge du nouveau «frère». Il paraissait chétif, et ses sourires cachaient mal ses souffrances. Ses proches savaient qu'il ne pouvait calmer ses douleurs qu'avec de fortes doses d'opium, qui le plongeaient de plus en plus souvent dans la somnolence. Épuisé par la maladie comme par les honneurs, il mourut quelques semaines plus tard, le 30 mai.

Le cardinal de Luynes vécut une dizaine d'années encore, consacrant son temps à ses recherches scientifiques ainsi qu'aux pauvres de son diocèse. Il s'éteignit le 21 janvier 1788 – un an et demi avant la prise de la Bastille, et cinq ans jour pour jour avant la décapitation de Louis XVI.

Par une ironie du sort, ou par un geste malicieux de ses confrères, on lui désigna pour successeur à l'Académie un jeune poète que Voltaire se plaisait à considérer comme son petit-neveu.

8

Celui qui est devenu un emblème du pays d'Oc

Que reste-t-il dans nos mémoires des écrits de Florian, le huitième occupant du fauteuil ? Ces quelques paroles d'une chanson qu'il nous arrive encore de fredonner :

Plaisir d'amour ne dure qu'un moment,
Chagrin d'amour dure toute la vie.

De son temps, on connaissait surtout ses fables, dont on disait qu'elles étaient les meilleures après celles de La Fontaine. La formulation est trompeuse. Les deux écrivains ne sont pas dans la même catégorie. La Fontaine est, sans aucun doute, l'un des plus grands fabulistes de la littérature mondiale, toutes langues confondues. Florian s'est essayé au genre, et l'on trouve parfois chez lui quelques pépites ; mais ses poèmes sont, pour la plupart, sans grand relief.

Lui-même en avait, d'ailleurs, parfaitement conscience. Dans sa préface à un recueil publié en 1792, il fait dire à un interlocuteur anonyme, qui pourrait être réel ou imaginaire : « Ne brûlez donc point vos fables, et soyez sûr que La Fontaine est si divin, que beaucoup de places infiniment au-dessous de la sienne sont encore très belles. »

Cette absence de vanité est sincère, et elle correspond au personnage tel que les contemporains l'ont décrit. Mais elle est également habile. Tant que l'on compare Florian à son modèle, on ne trouve pas grand-chose dans son œuvre qui mérite d'échapper à l'oubli ; si l'on parvient à faire abstraction de « l'autre », on finit par découvrir, au fil des pages brunies, plusieurs formulations heureuses, et qui ont survécu, même si on les emploie aujourd'hui sans savoir qui en est l'auteur. Ainsi, dans *Les Deux Paysans et le nuage*, ces répliques :

> – *Oh, puisqu'il est ainsi je ne dirai plus mot!*
> *Attendons la fin de l'affaire ;*
> *Rira bien qui rira le dernier ! – Dieu merci,*
> *Ce n'est pas moi qui pleure ici.*

Ou, dans *Le Vacher et le garde-chasse* :

> *Puis lui dit : chacun son métier,*
> *Les vaches seront bien gardées.*

Ou encore, dans *Le grillon* :

> *Pour vivre heureux vivons cachés.*

Quelquefois, le titre de la fable est resté, mais sa leçon a été mal comprise. Comme pour *L'Aveugle et le paralytique.* À l'instar d'Ésope, dont il s'est inspiré, Florian voulait louer l'ingéniosité de deux infirmes unissant leurs forces pour surmonter leur handicap.

Moi, je vais vous porter; vous, vous serez mon guide :
Vos yeux dirigeront mes pas mal assurés ;
Mes jambes, à leur tour, iront où vous voudrez.
Ainsi, sans que jamais notre amitié décide
Qui de nous deux remplit le plus utile emploi,
Je marcherai pour vous, vous y verrez pour moi.

Cependant, peut-être par la faute du caricaturiste Honoré Daumier, qui s'en servit pour brocarder Talleyrand et Louis-Philippe, «l'union de l'aveugle et du paralytique» a pris, dès le XIXe siècle, une signification opposée à celle que l'auteur souhaitait, désignant désormais une association inutile, et quelque peu ridicule.

C'est Voltaire qui avait fait lire les *Fables* de La Fontaine à Florian. Celui-ci, dans sa jeunesse, avait séjourné plus d'une fois dans sa propriété de Ferney. Le philosophe avait beaucoup d'affection pour ce garçon aimable et éveillé qui était devenu, en quelque sorte, son petit-neveu.

Jean-Pierre Claris de Florian était né dans les Cévennes, au cœur du pays d'Oc, le 6 mars 1755, d'un père appartenant à la noblesse locale et d'une mère d'origine espagnole. Ayant perdu très jeune ses parents et sa fortune, il fut pris en charge par son oncle paternel, le marquis de Florian, qui vivait à Paris et avait épousé une nièce de Voltaire.

Dans la correspondance de celui-ci, on trouve cette lettre, datée de Ferney, le 1er novembre 1765 : « À M. le Marquis de Florian. Je suis très fâché, Monsieur, que vous soyez arrivé si tôt à Paris ; j'aurais bien voulu tenir encore chez moi longtemps M. et madame de Florian, et M. de Florianet. »

L'enfant avait alors dix ans. Dans la correspondance de janvier 1775, on trouve cette autre lettre, qui lui est, cette fois, directement adressée : « À M. le chevalier de Florian. Le vieux malade de Ferney remercie bien sensiblement M. de Florianet ; il l'embrasse de tout son cœur… Il verra, quand il sera à Ferney, une sœur de sa nouvelle tante, âgée d'environ seize ans, et qui serait bien digne de commettre un inceste avec M. de Florianet, si elle n'était pas retenue par son extrême pudeur… Voilà tout ce que je puis vous mander de votre famille, dont j'ai l'honneur d'être un peu par ricochet… »

Le jeune homme allait s'engager résolument sur la voie tracée par son illustre « grand-oncle ». Celui-ci n'avait-il pas adhéré à la loge des Neuf-Sœurs en avril 1778 ? « Florianet » la rejoignit à son tour dès l'année suivante. Au même moment, il entama une foisonnante carrière littéraire ; d'abord au théâtre, où quelques-unes de ses pièces connurent un certain succès ; puis dans divers autres genres : la poésie, le roman pastoral, le récit historique, le conte en vers, le conte en prose, la fable, l'églogue, l'apologue, etc. En 1782, l'Académie française couronna l'une de ses œuvres, intitulée : *Voltaire et le serf du Mont Jura*, où il condamnait le servage qui subsistait encore dans certaines régions de la Franche-Comté, et qui ne serait aboli qu'à la Révolution.

En 1784, le compositeur franco-allemand Jean-Paul-Égide Martini mit en musique *La Romance du chevrier*, qui allait surtout être connue par ses premiers mots : « Plaisir d'amour ». Tirée d'une nouvelle intitulée *Célestine*, qui raconte les malheurs d'une orpheline de Grenade, elle est précédée d'un avant-propos où Florian fait l'éloge de l'Espagne, de sa littérature et de sa langue – qui était celle de sa mère. Il y affirme notamment que les hommes dont le cardinal de Richelieu composa l'Académie française « savaient presque tous l'espagnol, et traduisaient ou imitaient les auteurs de cette nation ». Lui-même consacrera des années à une libre adaptation de *Don Quichotte* que ses contemporains et la postérité jugeront, hélas, sans intérêt.

Le 6 mars 1788, jour de son trente-troisième anniversaire, il fut élu au fauteuil laissé vacant par la mort du cardinal de Luynes. Sans doute s'était-il déjà fait un nom dans le monde des lettres et des arts, mais il savait parfaitement que sa consécration était d'abord due à l'immense prestige de son « grand-oncle ».

« Plusieurs d'entre vous, amis, élèves, compagnons de gloire, voulurent s'acquitter envers moi de ce qu'ils pensaient lui devoir, dit-il à ses confrères lors de sa

réception officielle. Tous ceux pour qui Voltaire vivait
encore me tendirent la main, soutinrent mes pas chan-
celants, et m'entraînant malgré ma faiblesse, ils m'ont
conduit à leur suite jusque dans ce sanctuaire. Ainsi,
quelquefois de vaillants capitaines élèvent aux honneurs
un jeune soldat, parce qu'ils l'ont vu servir enfant sous
les tentes de leur général.»

Mais le fantôme du philosophe des Lumières n'était
pas l'unique protecteur de Florian. Il avait également
un mécène, fort respecté, fort influent, et qui l'aidera sa
vie entière. Il se trouvait dans la salle lorsque le nouvel
élu prononça son discours de remerciement, et il eut
sa part d'éloges. C'était le duc de Penthièvre, petit-fils
de Louis XIV «par la main gauche», puisque sa grand-
mère était Mme de Montespan. Quand Florian avait
eu treize ans, on l'avait fait engager comme page chez
le duc, qui s'était aussitôt attaché à lui comme à un
jeune frère. Ils ne s'étaient plus jamais quittés, jusqu'à
la mort.

Issu d'une noble lignée où l'on avait beaucoup de
biens et où l'on mourait souvent jeune, Penthièvre
avait recueilli de nombreux héritages, et amassé ainsi
sans rien faire l'une des plus grosses fortunes d'Europe – qu'il parvenait à gérer, d'ailleurs, avec habileté, s'il faut en croire ses contemporains. Il possédait
d'innombrables domaines, dans diverses provinces ;
le château de Rambouillet était à lui, jusqu'à ce que
Louis XVI lui demandât de le lui céder parce qu'il
voulait en faire son relais de chasse ; et à Paris, le
duc avait pour «pied-à-terre» l'hôtel de Toulouse, un

somptueux bâtiment qui allait devenir le siège de la Banque de France.

Homme sans ambition et sans arrogance, bienveillant, généreux et mélancolique, il était le seul prince du sang à jouir d'une réelle popularité. Au point qu'il ne fut pas inquiété sous la Révolution. Si le roi fut guillotiné le 21 janvier 1793, son « cousin » le duc de Penthièvre mourut dans son lit six semaines plus tard, le 4 mars – d'extrême tristesse, selon ses familiers.

Son protégé ne fut pas épargné pour autant. Banni de Paris par un décret qui interdisait aux nobles d'y résider, Florian partit s'installer à Sceaux, dans un pavillon que le duc avait mis à sa disposition depuis plusieurs années afin qu'il puisse se consacrer à son œuvre dans la sérénité. De son refuge, il écrivit à l'un de ses amis : « Je passe doucement ma vie au coin de mon feu, lisant Voltaire et fuyant des sociétés qui sont devenues des arènes affreuses où tout le monde hait la raison, où les vertus ne sont même plus louées, où l'humanité, la première des vertus, et la modération, la première des qualités, sont méprisées par tous les partis. Je me trouve fort bien de ma solitude… »

Mais on ne le laissa pas profiter très longtemps de sa solitude. On vint l'appréhender dans son pavillon, on l'emmena sous bonne garde, on le jeta en prison ; sans l'intervention de quelques amis bien placés, il n'aurait pas échappé à la guillotine.

Et c'est seulement quand la Terreur prit fin, avec la chute de Robespierre, le 27 juillet 1794, qu'il fut relâché. Il revint s'installer dans son pavillon avec l'intention, semble-t-il, d'évoquer sa mésaventure dans un roman, ou dans un long poème ; mais il était abîmé, physiquement et moralement, par les sévices qu'il venait de subir ; peut-être souffrait-il aussi de la tuberculose. Il mourut le 13 septembre, quelques semaines après sa sortie de prison, et fut inhumé dans le cimetière de Sceaux, où un modeste monument fut érigé à sa mémoire, portant une inscription peu prétentieuse : « Ici repose Florian, homme de lettres. »

★ ★
★

À l'instar de Quinault, son lointain prédécesseur, le huitième titulaire du fauteuil fut souvent accusé d'avoir écrit des choses mièvres. La notice que lui a consacrée, quelques décennies après sa mort, la *Biographie universelle ancienne et moderne*, est assez cruelle : « Florian n'avait reçu de la nature les qualités qui le distinguent comme écrivain que dans une certaine mesure, qui ne lui a guère permis de sortir de la médiocrité. Ne s'étant jamais élevé beaucoup, il n'est jamais tombé de bien haut ; n'ayant rien hasardé, il n'a commis aucune erreur très remarquable. On le lit donc avec plaisir, et on peut l'oublier après l'avoir lu, sans éprouver ni le besoin ni la crainte de le relire encore. » La douceur du poète de *Plaisir d'amour* paraissait d'autant plus inexcusable que l'époque était violente. « Tandis que la tragédie rougissait les rues, la bergerie florissait au théâtre », écrira Chateaubriand en songeant précisément à ces

116

années-là, et peut-être à Florian lui-même, dont on a dit parfois que, dans ses bergeries, il manquait un loup.

Quinault, accusé de tendresse excessive, allait trouver en Voltaire un défenseur tardif; pour Florian, ce sera Émile Zola. «J'ai bien, pour ma part, cinq ou six idylles sur la conscience, et toujours la même, Daphnis et Chloé, Paul et Virginie, Estelle et Némorin, un couple de jeunes cœurs qui s'éveillent à l'amour, qui s'en vont par les sentiers, dans le ravissement du soleil. Qui sait, mon Dieu! ce que seront devenus mes couples quand ils auront cent ans? Peut-être auront-ils plus de rides que les aimables moutons de Florian. On a regretté qu'il n'y eût pas un loup dans sa bergerie. Hélas! dans ma bergerie à moi, peuplée de loups, ne dira-t-on pas que j'aurais dû au moins mettre un mouton? Et c'est ainsi qu'il ne faut point sourire de ses ancêtres quand ils n'ont eu que le ridicule d'être trop délicats et trop tendres, de voir la vie dans un rêve trop charmant, une vie de lumière, de bonne et d'éternelle félicité.»

Ce plaidoyer en faveur du doux Florian a une histoire, qui constitue un post-scriptum inattendu à son destin.

Il avait écrit, en 1788, une pastorale intitulée *Estelle*, qui contenait, dès la première page, cette adresse vibrante: «Je te salue, ô belle Occitanie! terre de tous les temps aimée des peuples qui l'ont connue... Ô terre féconde en héros, en talents, en fruits, en trésors, je te salue!» Ce court roman, qui raconte les amours d'Estelle et de Némorin, est écrit en prose, et entrecoupé de poèmes chantés. Bien entendu, il est en français, mais au troisième chapitre, à la suite d'un poème qui dit :

> *Ah! s'il est dans votre village*
> *Un berger sensible et charmant*
> *Qu'on chérisse au premier moment,*
> *Qu'on aime ensuite davantage,*
> *C'est mon ami; rendez-le-moi,*
> *J'ai son amour, il a ma foi.*

Florian introduit, contre toute attente, une traduction de ces vers en provençal. «Il est juste, explique-t-il, de donner une des chansons d'Estelle dans la langue que parlait cette bergère. La voici, telle qu'elle a été conservée dans le pays :

> *Aï! s'avé din vostre villagé*
> *Un jounin' é téndre pastourel!...»*

La chose pourrait paraître anodine; elle ne l'est pas. Jamais, en ce temps-là, on n'imprimait ainsi des textes dans les langues régionales... C'est là un honneur dont les «patois» ne paraissaient pas dignes.

Cette sorte de transgression, commise par Florian en hommage à la langue de son enfance, aura des suites.

Les choses commenceront, une fois encore, avec Voltaire. Le culte voué au patriarche de son vivant, et qui avait atteint son paroxysme lors de son ultime séjour à Paris, allait se poursuivre après sa mort. Il y aura constamment des commémorations, partout en

France. Notamment à Châtenay-Malabry, petite ville de la région parisienne où il disait être né. La plupart des sources ont toujours considéré qu'il avait vu le jour dans la capitale; mais lui-même prétendait autre chose, et son ami Condorcet, en racontant sa vie, avait fait sienne cette affirmation.

En raison même de cette querelle d'historiens, les plus fervents admirateurs du grand homme ont toujours tenu à se démarquer de la version officielle. Ce fut le cas de deux écrivains, Paul Arène et Valéry Vernier qui, en 1878, voulurent célébrer à leur façon le centenaire de sa mort. Le premier raconte : « Nous étions partis pour Châtenay, où est né Voltaire. Nous allions y fêter la mémoire du célèbre philosophe, lorsque l'envie nous prit d'aller nous promener dans les environs. Arrivés à Sceaux, nous vîmes, adossé à l'église, le monument simple et gracieux que vous connaissez, portant cette inscription : "Ici repose Florian, homme de lettres." En revenant à Châtenay, une idée de compassion se dressa dans notre esprit et, le soir, tandis que nos amis toastaient en l'honneur de Voltaire, nous volâmes deux lanternes vénitiennes au parrain pour les apporter au filleul. Depuis, ayant su que Florian était un méridional, nous voulûmes lui faire une fête à lui tout seul. Voilà pourquoi nous célébrons et célébrerons désormais tous les ans à Sceaux la Sainte-Estelle. »

Ces deux amis « en pèlerinage » étaient eux-mêmes des poètes méridionaux, partisans de la renaissance de la langue d'oc, dont Frédéric Mistral, futur prix Nobel de littérature, était le porte-drapeau. Mais ils ne connaissaient pas encore les quelques vers occitans insérés dans *Estelle*, et il semble bien que seule leur « compassion » pour un poète délaissé les avait poussés à honorer sa mémoire, puis à découvrir son œuvre. Ce qui est certain, c'est que le centenaire de la mort du grand-oncle fut, « par ricochet », le point de départ d'une célébration régulière de son petit-neveu, devenu la figure tutélaire du Félibrige, mouvement littéraire dédié à la résurrection de la langue d'oc, de sa littérature et de sa culture.

Depuis, on organise chaque année à Sceaux des fêtes en l'honneur de Florian, avec des parrains prestigieux : Mistral, bien sûr, ainsi qu'Ernest Renan, Anatole France, ou Émile Zola ; c'est d'ailleurs à cette occasion que celui-ci prononça sa courtoise défense des bergeries sans loup.

Lors des fêtes de 1884 eut lieu une cérémonie emblématique, au cours de laquelle Mistral proclama, en langue provençale, et avec solennité : « Il y a quatre cents ans, les États généraux de la vieille Provence dirent à la France : Le pays de Provence, avec sa mer d'azur, avec ses Alpes et ses plaines, de bon cœur et consentant, à toi s'unit, ô France, non comme un accessoire qui va au principal, mais comme un principal à un autre principal ; c'est-à-dire que nous garderons nos franchises, nos coutumes et notre langue. »

Pendant que l'auteur de *Mireille* prononçait son discours-manifeste, son épouse déposait solennellement une couronne sur le buste de Florian, qui ne s'était sûrement jamais attendu à pareil d'honneur.

★   ★
★

Pour en revenir à l'Académie française, le «petit-neveu» de Voltaire a failli y être le dernier titulaire du vingt-neuvième fauteuil, puisqu'à sa mort, personne ne fut élu, et pour cause : la Compagnie fondée par Richelieu avait été «supprimée», par un décret de la Convention, treize mois plus tôt, en août 1793, et ses bureaux au Louvre vandalisés et pillés.

Ses membres mouraient sans être remplacés, les uns de causes naturelles, d'autres sur l'échafaud, d'autres encore en prison – tel Condorcet, qui préféra se suicider à la veille de son exécution. Il avait pourtant été l'une des figures du siècle des Lumières, dont la Révolution s'était inspirée. Mais celle-ci était entrée dans une dérive sanguinaire qui lui faisait réclamer toujours plus de têtes à couper, toujours plus de sang à verser. L'Académie apparaissait comme une institution de l'Ancien Régime, et le fait pour elle d'être devenue un bastion des philosophes des Lumières n'avait pas suffi à la sauver des turbulences.

Dans ces circonstances si peu ordinaires, il est d'autant plus remarquable – et même quasiment miraculeux – que Florian ait finalement eu pour successeur un homme qui le connaissait bien, qui éprouvait pour lui de l'admiration et une affection fraternelle,

121

au point d'exprimer, à l'heure de sa mort, la volonté d'être inhumé à ses côtés dans le cimetière de Sceaux. Comme si la crainte de voir se rompre la chaîne de succession avait suscité le désir de l'affirmer avec plus de force encore.

9

Celui qui idolâtrait Molière

Les détracteurs de Jean-François Cailhava se plai-
saient à dire que Molière avait une dent contre lui.
L'expression doit être prise au sens littéral, puisque
le neuvième titulaire du fauteuil, qui avait assisté, du
temps de la Révolution, le 6 juillet 1792, à l'exhumation
du corps du grand homme, avait cru bon de prélever
sur sa dépouille une dent, puis de l'enchâsser dans une
bague afin de l'avoir en permanence sur lui – ou, si l'on
préfère, « contre » lui.

Il serait difficile de ne pas juger son geste outrancier,
voire sacrilège ; il était, en tout cas, de très mauvais goût.
Mais, dans l'esprit de l'intéressé, c'était là un hommage
au génie qu'il avait toujours vénéré.

Treize ans plus tôt, Cailhava avait publié à Amster-
dam, de façon anonyme, un *Discours prononcé par
Molière le jour de sa réception posthume à l'Académie*, qui
commençait ainsi :

« Messieurs,

« Il est donc vrai que, cent cinq ans après ma mort,
vous voulez bien m'accorder une place parmi vous.
Loin de me plaindre du préjugé barbare qui, de mon

vivant, m'interdisait l'entrée de cette Académie, loin de gémir sur le siècle écoulé entre mon trépas et la nouvelle vie que je reçois, je pense que ma gloire en devient plus pure. Du moins on ne pourra pas attribuer mon élection à la brigue. Je n'ai pas flatté l'orgueil d'un Protecteur titré... »

Certains passages du *Discours* laissent deviner qu'il fut écrit en 1778, au lendemain de la mort de Voltaire ; selon Cailhava, c'est à son fauteuil qu'aurait été élu, à titre posthume, l'auteur du *Misanthrope*. Une « filiation » qui ne va pas de soi. Car si la non-élection du grand dramaturge était alors, et demeurera pour toujours, l'un des grands remords de l'Académie, l'idée d'une parenté spirituelle entre lui et Voltaire n'est pas très convaincante. À vrai dire, elle ne s'explique que par le fait que l'auteur du *Discours* apocryphe se sentait puissamment lié à ces deux grands hommes.

S'agissant de Molière, Cailhava l'avait pris très tôt comme modèle, essayant de se faire lui-même un nom dans le théâtre. Il écrivit plusieurs pièces, et réussit à en faire jouer quelques-unes, d'abord à Toulouse, sa ville natale, puis à Paris, à la Comédie-Française. Mais aucune n'a pu se frayer un chemin vers la postérité, ni *L'Égoïsme*, ni *Le Tuteur dupé*, ni *Le Mariage interrompu*, ni *Le Jeune Présomptueux*, ni *Arlequin Mahomet ou le cabriolet volant*. Il publia également des ouvrages sur le théâtre, notamment, en 1771, et en quatre volumes, *De l'art de la comédie*, avec, sur la couverture, en guise de long sous-titre : *Détail raisonné des diverses parties de la comédie et de ses divers genres ; suivi d'un traité de l'imitation où l'on compare à leurs originaux les imitations de Molière et celles des modernes. Le tout appuyé d'exemples tirés des meilleurs comiques de toutes les nations, terminé par l'exposition des causes de la décadence du théâtre et des moyens de le faire refleurir.* Puis, trente ans plus tard, *Études sur Molière ou Observations sur la vie, les mœurs, les ouvrages de cet auteur, et sur la manière de jouer ses pièces.* De plus, il entreprit de «rétablir» une des premières pièces de son modèle, *Le Dépit amoureux*, généralement considérée comme peu jouable; il simplifia l'intrigue, tout en gardant les cinq actes, alors qu'elle est souvent jouée, même de nos jours, en deux actes.

On le voit, Molière occupa une place importante dans l'existence de Cailhava, ce qui explique qu'il ait voulu prononcer en son nom un «discours de réception», et qu'il se soit permis de prélever une «relique» sur son corps quand celui-ci fut exhumé du cimetière parisien de Saint-Joseph, que les nouvelles autorités avaient décidé de fermer. Jean-Baptiste Poquelin y avait été enterré sans pompe, par une froide nuit de février 1673; et, même pour un service aussi sommaire, Louis XIV avait dû intervenir en personne auprès de l'archevêque de Paris afin de contourner l'interdiction d'accorder une sépulture chrétienne aux comédiens. Déterrés, donc, sous la Révolution, ses ossements furent entreposés dans deux bières en sapin, et abandonnés pendant sept ans, avant d'être placés dans un sarcophage en pierre et exposés dans un musée. Ce n'est qu'en 1817, cent quarante-quatre ans après sa mort, et vingt-cinq ans après l'exhumation de son corps, que Molière aura droit à une messe solennelle et que ses restes seront enfin dignement inhumés au cimetière du Père-Lachaise.

L'épisode de la dent est, évidemment, anecdotique, comme l'est le *Discours de réception* apocryphe, mais l'adorateur rêvait manifestement d'apparaître comme un digne successeur de son idole, et il se trouva, parmi ses contemporains, au moins une personne pour juger que c'était bien le cas. Il s'agit de l'écrivain Michel de Cubières, qui déclama un jour, s'adressant au spectre de Molière :

> *… Cailhava, ton plus fidèle élève,*
> *Sa muse de ton art sonda tous les secrets,*
> *Et pour te commenter Dieu le fit naître exprès.*

Mais l'auteur de ces vers n'avait pas, en la matière, beaucoup de crédibilité. Outre qu'il était un proche ami de celui qu'il encensait de la sorte, il était connu pour ses envolées excessives et sa propension à la flatterie. Plus réconfortant pour la mémoire du «commentateur» est le fait que son ouvrage *De l'art de la comédie* fut réédité en 1970, deux siècles après sa première publication, par une maison genevoise fort estimable ; et qu'il est souvent encore mentionné dans des travaux universitaires. Il est donc raisonnable de considérer que, si le jugement dithyrambique de Cubières ne peut être pris au sérieux, et si les comédies de Cailhava ont peu de chances de sortir de l'oubli, les études qu'il a consacrées au théâtre, et notamment à l'œuvre de Molière, ne devraient pas être dénigrées.

S'agissant de Voltaire, on ne peut parler d'une passion comparable. Cailhava n'a pas cherché à l'imiter, et il ne lui a consacré aucun ouvrage ; mais il l'a connu en personne, et dans des circonstances inoubliables. Quand, le 7 avril 1778, lors de son ultime séjour à Paris, le patriarche de Ferney adhéra solennellement à la franc-maçonnerie, la commission qui eut la charge et le privilège de lui en exposer les préceptes comptait, parmi ses membres, le « frère » Jean-François Cailhava, qui était l'un des membres fondateurs de la loge des Neuf-Sœurs.

Florian devait la rejoindre à son tour l'année suivante – un événement infiniment moins important que la réception de son « grand-oncle par ricochet » ; mais, pour le destin du vingt-neuvième fauteuil de l'Académie, une coïncidence hautement symbolique, et quasiment providentielle, puisque la « transmission du témoin » allait pouvoir s'opérer, de ce fait, dans les conditions les plus chaleureuses qui soient, alors qu'elle paraissait irrémédiablement compromise.

Ces deux « frères » maçons, dont les parcours étaient appelés à converger de si curieuse manière, avaient pourtant adopté, dans le tumulte de la Révolution, des attitudes fort dissemblables. Alors que Florian avait cherché refuge à Sceaux, dans son pavillon d'écriture, s'imaginant à tort que l'histoire allait l'y oublier, Cailhava, moins naïf, moins contemplatif, avait tenté de s'impliquer pleinement dans les événements. Il adhéra au club des Jacobins, l'un des plus militants de l'époque ; et en 1791, il s'enrôla dans la garde nationale, alors qu'il venait d'avoir soixante ans. Lorsque Jean-Sylvain Bailly, le maire de Paris – le premier dans l'histoire à porter ce titre, et qui était un astronome de renom, membre de l'Académie française ainsi que de la loge des Neuf-Sœurs –, chercha un volontaire pour superviser le transport d'une cargaison de farine en provenance de Normandie, et que personne ne se porta volontaire tant l'entreprise était périlleuse en ces temps de disette et de suspicion, Cailhava se proposa pour cette mission, et se trouva à deux doigts de se faire lyncher. En 1793, il fut nommé « commissaire observateur » dans trois départements méridionaux. Là encore, il prenait des risques graves ; les autorités locales le mirent en état d'arrestation pendant plusieurs semaines, et il fallut une intervention vigoureuse du ministre de l'Intérieur pour qu'il fût libéré.

On le voit, le citoyen Cailhava était prêt à se mettre en danger pour tenir un rôle dans la grande pièce qui se jouait. Ce fut un tout petit rôle, juste ce qu'il fallait pour démontrer son désir de se rendre utile à la nation. S'il avait une ambition plus grande, elle n'était pas dans le monde politique. Son rêve, tel qu'il se manifestait dans ses écrits de ces années-là, était de devenir en quelque sorte « le préposé au théâtre » dans la France

de la Révolution ; lui qui avait constamment médité
et beaucoup écrit sur «les causes de la décadence
du théâtre» – c'est là, d'ailleurs, le titre exact du tout
dernier ouvrage qu'il ait publié –, il espérait que les
temps nouveaux lui offriraient l'occasion d'apporter
des remèdes, notamment dans la défense des droits
des auteurs dramatiques, qu'il estimait spoliés par les
entrepreneurs de spectacles et les directeurs de troupes.
C'est pour mettre en lumière cette «décadence» qu'il
rappelait constamment à ses contemporains l'âge d'or
que fut, pour le théâtre, le xviiᵉ siècle, et qu'il célébrait,
à sa façon, le culte de Molière.

⋆ ⋆

⋆

Sa fréquentation assidue des grands hommes ne
suffisait évidemment pas à faire de Cailhava un grand
homme. Elle pouvait même, par effet de contraste, le
rapetisser encore. La chose serait passée inaperçue si le
pamphlétaire le plus impitoyable de son époque n'avait
eu l'idée de le sortir du lot pour faire de lui le parangon
de la médiocrité littéraire. Dans *Le Petit Almanach de
nos grands hommes*, un ouvrage aussi étincelant que
fielleux, Antoine de Rivarol se déchaîna sans ménagement contre un certain nombre de ses contemporains, non par des critiques directes, mais par le biais
d'un éloge excessif. Cailhava venait de se faire élire
président du «Musée de Paris», une société composée

de savants, d'artistes et d'hommes de lettres, fondée quelques années plus tôt à l'initiative de Benjamin Franklin ; dédiée à la promotion d'un enseignement de qualité, c'était en fait une émanation de la loge des Neuf-Sœurs.

Pour Rivarol, ce titre de «président» dont s'était paré Cailhava eut l'effet d'un chiffon rouge. Le malheureux homme lui apparut soudain comme une personnification de l'auteur à la fois prétentieux et insignifiant. Au lieu de se contenter de le crucifier comme des centaines d'autres littérateurs, il le distingua en faisant de lui le dédicataire de l'œuvre tout entière.

«À M. de Cailhava de l'Estandoux, Président du grand Musée de Paris.

«M. le président, ce n'est pas sans la plus vive satisfaction que nous vous dédions cet almanach de tous les grands hommes qui fleurissent dans les Musées depuis leur fondation jusqu'en l'an de grâce 1788. Combien d'hommages n'en avez-vous pas reçu, soit en vers, soit en prose ! Car vous n'êtes pas comme les rois de la terre, qui n'exigent de leurs sujets que des tributs pécuniaires ; votre trésor ne s'emplit que d'opuscules légers, de pièces fugitives, d'impromptus et de chansons, et la plus grosse monnaie de votre empire n'a jamais passé l'épître dédicatoire ; mais sans nous, tous ces monuments de leur amour pour le musée et de leur goût pour les lettres, périraient sans retour ; et l'on verrait tant de fleurs se faner sur vos autels !

«Si l'Almanach royal, seul livre où la vérité se trouve, donne la plus haute idée des ressources d'un État qui peut supporter tant de charges, croit-on que notre Almanach puisse être indifférent à votre gloire et à celle de la nation, quand on y prouve qu'un président de musée peut prélever plus de cent mille vers par an sur la jeunesse française, et marcher dans la capitale à la tête de cinq ou six cents poètes ? »

Tout ceux qui lurent l'ouvrage de Rivarol le trouvèrent amusant, habile, et percutant – à l'exception, bien sûr, des malheureux qui y figuraient. Aujourd'hui encore, on ne peut qu'admirer ses trouvailles satiriques, son art consommé de l'exécution sommaire.

Cailhava a-t-il répondu à cette charge assassine ? Sans doute pas. On ne trouve, en tout cas, aucune trace dans les annales d'une polémique entre son tourmenteur et lui. Peu importe, d'ailleurs. Ces querelles parisiennes allaient bientôt paraître dérisoires. La première édition de l'*Almanach des grands hommes* date de 1788 ; la dernière, de 1790. Entre-temps, la France était entrée dans une tout autre phase de son histoire. Une phase où les exécutions purement littéraires ne suscitaient plus ni larmes, ni rires, ni rancœurs.

Cailhava traversa, tant bien que mal, ces années tumultueuses. S'il n'y laissa point son empreinte, du moins évita-t-il d'y laisser la vie comme tant de ses contemporains, et comme tant d'autres membres de sa loge – tels Danton, Desmoulins, ou le maire-astronome

Bailly. À feuilleter les archives des Neuf-Sœurs, on a parfois l'impression que la France entière y avait adhéré. Peut-être faudrait-il remettre les choses en perspective : les années qui suivirent l'initiation solennelle de Voltaire furent pour « sa » loge un âge d'or. Des savants, des artistes, des auteurs, des hommes politiques vinrent la rejoindre, les uns pour servir leurs idéaux, les autres pour servir leur carrière ; on les voyait alors partout – dans les assemblées législatives, dans les clubs révolutionnaires, au gouvernement, à l'Académie... et quelquefois au pied de l'échafaud. Tout cela durera quinze ans ; après, la loge va péricliter, puis disparaître ; ne resteront d'elle qu'une brassée de noms illustres et quelques glorieuses réminiscences.

S'agissant de Cailhava, son appartenance aux Neuf-Sœurs ne doit évidemment rien à cet engouement puisqu'il figure parmi les dix membres fondateurs. Elle ne lui a pas valu non plus d'occuper de hautes fonctions au cours de la période révolutionnaire. Mais il est fort possible que ses amitiés chez les francs-maçons se soient révélées utiles quand, au sortir des années de terreur et de frénésie destructrice, les autorités jugèrent souhaitable de reconstituer les académies, sous une forme ou sous une autre.

Dès 1795, un « Institut des sciences et des arts » fut créé par la Convention, et qui allait s'appeler, au gré des époques et des régimes, « Institut national », « Institut impérial », « Institut royal », ou simplement « Institut de France » ; Cailhava y sera élu en 1798. En 1803, l'Institut fut réparti en « classes », la deuxième étant dédiée à la langue et aux lettres ; elle ne tardera pas à reprendre le nom d'Académie française. Cailhava y fut désigné en remplacement de Florian. Paradoxalement, c'est l'aîné qui succédait ainsi à son cadet. Né en 1731, le nouveau membre était alors dans sa soixante-douzième année ; son prédécesseur était né en 1755.

Jean-François Cailhava occupera pendant dix ans le vingt-neuvième fauteuil. Il y sera, s'il faut en croire les archives, un académicien fort assidu.

Au tout début, les réunions se tenaient encore au Louvre, comme c'était le cas sous l'Ancien Régime. Mais en 1805, l'empereur Napoléon décida d'installer l'Institut dans l'ancien collège des Quatre-Nations, situé quai de Conti. Construit grâce à une dotation du cardinal Mazarin, ce bâtiment avait été transformé brièvement en maison d'arrêt au cours des années tumultueuses de la Révolution. Son ancienne chapelle, coiffée d'une imposante coupole, allait devenir la salle des réunions solennelles, et le lieu emblématique de la nouvelle Académie française.

De ce fait, il serait exact de dire que Cailhava fut le premier occupant du vingt-neuvième fauteuil à siéger « sous la Coupole ».

Sa mort surviendra le 27 juin 1813, dans la ville de Sceaux. Comme Florian. Il s'était rendu chez des amis qui y résidaient, quand il fut pris d'un malaise subit. Sentant sa dernière heure arrivée, il demanda à être inhumé près du modeste monument consacré à son prédécesseur.

Ils resteront voisins jusqu'à ce que l'autre soit transféré – sans son compagnon – au jardin des Félibres.

10

Celui qui fut deux fois condamné à mort

Joseph Michaud fut le troisième et dernier titulaire du fauteuil à avoir vécu sous la Révolution. C'est aussi celui dont le parcours fut le plus rocambolesque. Né en Savoie en 1767, il la quitta dans son enfance avec ses parents ; fit ses études dans l'ancien collège jésuite de Bourg-en-Bresse ; travailla quelque temps comme commis dans une librairie lyonnaise, tout en écrivant ses premiers textes littéraires ; puis monta à Paris, à l'âge de vingt-trois ans, où il collabora à divers journaux proches de la cour de Louis XVI. Mais ce royaliste de cœur n'était pas, à proprement parler, un adepte de l'Ancien Régime. Admirateur des philosophes, épris de liberté et hostile à toute forme d'oppression, il sera longtemps un fugitif et un proscrit, sous divers gouvernements, avant de connaître les honneurs.

Dans les années grisantes qui suivirent la prise de la Bastille, il caressa les idéaux révolutionnaires, composa un poème à la gloire de Jean-Jacques Rousseau, et alla même jusqu'à écrire, dans une œuvre publiée en 1794 :

Ah! si jamais des rois et de la tyrannie,
Mon front républicain subit le joug impie,
La tombe me rendra mon droit, ma liberté,
Et mon dernier asile est l'immortalité!

Il prétendra plus tard que ce rejet emphatique de la monarchie n'était qu'un subterfuge pour échapper aux persécutions sans être contraint de s'exiler, et que ses convictions profondes n'avaient pas varié. Ce qui est certain, c'est que son changement d'opinion, affecté ou sincère, fut passager. Lors des événements sanglants du 5 octobre 1795, il prit fait et cause pour les royalistes, et faillit y laisser la vie.

Cet épisode, connu par sa date dans le calendrier républicain comme l'«insurrection du 13 Vendémiaire», constitua un tournant dans l'histoire de la Révolution. Après la chute de Robespierre et la fin de la Terreur, les partisans de la monarchie, estimant que le pays en avait assez des convulsions et que le moment était propice pour inverser le cours des choses, appelèrent à des manifestations massives dans l'espoir de forcer la Convention à rétablir la royauté par la voie constitutionnelle. Mais l'assemblée refusa d'obtempérer et, s'étant assurée du soutien de l'armée, elle fit tirer sur la foule. Il y eut, selon les estimations des contemporains, près de trois cents morts, la plupart aux abords de l'église Saint-Roch. La révolte fut donc écrasée, la République fut sauvée, mais elle était désormais à la merci des militaires, et en particulier d'un jeune officier dont le rôle avait été décisif en cette journée-là, ce qui lui valut d'être surnommé, pour un temps, «le général Vendémiaire»: Napoléon Bonaparte.

Michaud, qui avait appelé à l'insurrection dans son journal, *La Quotidienne*, dut quitter Paris précipitamment. Il trouva refuge chez des amis, dans les environs de Chartres; mais il fut rapidement débusqué par les forces de l'ordre, et ramené vers la capitale à pied, entre deux gendarmes à cheval. Dans l'attente de son procès, on l'enferma dans l'ancien collège des Quatre-Nations, qui venait d'être transformé en maison d'arrêt. Les choses se présentaient fort mal pour lui. Les autorités républicaines, qui avaient eu très peur, tenaient à se montrer impitoyables afin de dissuader les royalistes de tenter un nouveau coup de force.

Chaque jour, on conduisait le prisonnier, sous bonne garde, de son lieu de détention jusqu'aux Tuileries, où siégeait le tribunal militaire qui devait le juger. Là, on l'interrogeait sur ses écrits séditieux, sur ses contacts avec les émigrés, sur son rôle dans les manifestations. Michaud craignait le pire. Ses proches avaient fait intervenir un député de la région lyonnaise, qui jouissait d'une certaine influence; mais le parlementaire avait répondu qu'il ne pouvait plus rien pour lui.

Une seule personne ne semblait pas résignée à le voir condamner: un certain Nicolas Giguet, qui avait fait ses études comme lui dans la Bresse, et qui était monté lui aussi à Paris dans l'espoir de se faire un nom dans le monde des lettres et des arts. Il se trouvait sur les Champs-Élysées le jour où Michaud fut ramené de Chartres par les gendarmes. On avait fait passer le captif par cette avenue, Giguet l'avait reconnu, et il avait été outré de le voir humilié de la sorte. Mais que pouvait-il faire ? Il s'était contenté de lui adresser de loin un signe d'affection. Puis il l'avait suivi à distance pour savoir où on l'emmenait.

Le lendemain, et encore le surlendemain, il était revenu rôder autour du collège des Quatre-Nations. De ce fait, il avait pu vérifier par quelle route les gendarmes conduisaient son ami aux Tuileries pour son interrogatoire, puis le ramenaient à sa prison. Et chaque fois il les suivait à distance, sans se montrer. Entre-temps, il cherchait à se renseigner sur le sort qu'on réservait au détenu. Au matin du 26 octobre, le bruit courait que l'instruction était bouclée, et que Michaud allait être condamné le jour même, ou le lendemain. Giguet décida de s'interposer, coûte que coûte.

Ce jour-là, donc, un peu avant midi, il s'arrangea pour croiser le petit cortège à la sortie du pont Royal. Feignant de voir son ami pour la première fois après une longue absence, il lui demanda ce qu'il faisait, où il allait, et s'il acceptait de déjeuner avec lui.

Michaud comprit aussitôt que Giguet tramait quelque chose. De crainte d'éveiller les soupçons de ses accompagnateurs, il fit mine de n'être pas intéressé par l'invitation, et de vouloir poursuivre son chemin. «Je ne peux pas déjeuner tout de suite, lui dit-il. J'ai une petite affaire à régler aux Tuileries. Rien

de grave, je dois juste répondre à quelques questions.
Je n'en ai pas pour longtemps. Je te rejoindrai un peu
plus tard.»

Mais Giguet s'entêta. «Tu ne vas pas te débarrasser de moi aussi facilement! Pour les Tuileries, rien ne
presse; il y aura sûrement beaucoup de monde, on ne
va pas commencer par toi. Déjeunons d'abord!» Il désigna les gendarmes. «Ces messieurs n'ont sans doute
pas déjeuné encore, ils ne refuseront pas une côtelette
et un verre de bordeaux! Justement, voilà un restaurant
tout proche!»

Après quelques hésitations, «ces messieurs» se laissèrent tenter. Giguet leur inspirait confiance; c'était
un homme d'un certain âge; ancien danseur, ancien
comédien, il avait de la prestance et de l'entregent. Le
prisonnier, l'ami et les gardiens se retrouvèrent donc
à table. On commanda du vin, des petits plats, on
conversa sur un mode léger. L'hôte orienta la conversation vers sa région d'origine, la Bresse, où l'on faisait,
dit-il, si bonne chère. Il vanta surtout ses incomparables
poulardes. Les gendarmes en avaient manifestement
l'eau à la bouche. «Ah, messieurs, s'écria-t-il, puisque
vous ne connaissez pas les poulardes de notre pays, je
tiens à vous convaincre qu'il n'en est pas de pareilles
dans les quatre-vingt-trois départements. Garçon, une
poularde de Bresse! Et pas de triche! Qu'elle soit de la
Bresse, mon ami, et non du Mans… Tiens, Michaud,
toi qui t'y connais, descends à la cuisine, vérifie que
ces coquins-là ne vont pas nous gruger! À votre santé,
messieurs!»

Pendant qu'on trinquait, Michaud se leva, sans se presser, et descendit les quelques marches menant aux cuisines. Au bout de quelques minutes, les gendarmes commencèrent à s'inquiéter. Mais leur amphitryon les rassura : son ami était sûrement en train de surveiller le rôtisseur. Quelques minutes passèrent encore. Quand « ces messieurs », trouvant le temps long, finirent par se rendre dans les cuisines, leur prisonnier n'y était plus.

Sorti par une porte dérobée, il était déjà hors d'atteinte. Fort heureusement pour lui, car le lendemain même, le tribunal devant lequel il aurait dû comparaître le condamnait à mort, pour avoir, par ses écrits, « provoqué à la révolte et au rétablissement de la royauté ». Il sera guillotiné – mais seulement en effigie ! – sur la place de Grève, future place de l'Hôtel-de-Ville.

L'intrépide Giguet fut détenu, soumis à un interrogatoire musclé, et menacé de subir le sort qui était réservé à celui qu'il avait aidé à s'évader. Mais il garda jusqu'au bout son sang-froid, protestant chaque jour de sa bonne foi et de son innocence. Il passa tout de même un mois en prison, avant d'être relâché.

Quant à Michaud, il se réfugia quelque temps en Suisse ; puis retourna discrètement en territoire français, pour loger en cachette chez des personnes de sa famille. Un nouveau régime s'était mis en place, le Directoire, qui promettait de panser les plaies de la nation ; le fugitif ne tarda pas à obtenir que sa peine fût commuée, avant d'être complètement annulée.

Il s'apprêtait même à reprendre une vie normale quand un nouveau bouleversement politique survint à Paris : les trois « directeurs » qui gouvernaient à présent le pays renoncèrent soudain à leurs promesses de réconciliation pour opérer un véritable coup d'État, connu dans l'histoire comme la « journée de Fructidor ». S'étant sentis menacés par les extrémistes de tous bords, ils avaient décidé de sévir ; mais comme ils ne voulaient pas renouer avec les exécutions massives qui rappelaient trop le temps honni de la Terreur, ils avaient choisi de dresser une liste de proscrits, où se côtoyaient, étrangement, des républicains intransigeants et des royalistes irréductibles ; Joseph Michaud y figurait en bonne place.

Ceux que l'on appréhenda furent d'abord expédiés au port de Rochefort dans des cages en fer, puis convoyés en Guyane dans des rafiots, à fond de cale ; parmi eux, une soixantaine de députés, ainsi que des journalistes, des militaires, des ecclésiastiques, etc. Sur place, ils ne furent pas enfermés ; cependant, logés dans des lieux insalubres, ils souffrirent du paludisme, de la fièvre jaune, et de bien d'autres calamités tropicales ; on estime à cent quatre-vingt-sept le nombre de ceux qui succombèrent, victimes de ce qu'on appela alors « la guillotine sèche ».

Le futur académicien ne put échapper à un tel sort qu'en reprenant sa vie d'errance. C'est à cette époque qu'il écrivit *Le Printemps d'un proscrit*, un long poème qui lui vaudra, quelques années plus tard, une certaine célébrité littéraire. Mais, sur le moment, il évita de se manifester, passant le plus clair de son temps du côté des Alpes, sur les berges de l'Ain.

Errant sur ces rochers, noir séjour des orages,
Je retrouvai la paix dans leurs grottes sauvages,
La paix que ma patrie, hélas, ne connaît plus…

⋆ ⋆

⋆

Quand Bonaparte s'empara du pouvoir en 1799, par le coup d'État du 18 Brumaire, le fugitif éprouva des sentiments mitigés. Il n'était pas mécontent de voir tomber les dirigeants qui l'avaient proscrit, et il se hâta de mettre fin à son errance pour retrouver la capitale. Cependant, il ne pouvait oublier que l'homme qui triomphait ainsi était celui-là même qui avait ordonné de tirer sur ses compagnons royalistes, quatre ans plus tôt. De ce fait, peu après son retour, Michaud rédigea un pamphlet intitulé *Les Adieux à Bonaparte*, où il affirmait que l'officier corse avait suscité de grands espoirs, mais qu'il les avait trahis en s'arrogeant le pouvoir pour lui-même. Les « adieux » en question n'étaient donc pas « à Bonaparte », mais à l'image de rassembleur – et peut-être aussi de restaurateur de la monarchie des Bourbons – que certains avaient voulu voir en lui. L'opuscule eut un grand succès, fut réimprimé à plusieurs reprises, et circula abondamment sous le manteau. Ce qui valut à son auteur d'être appréhendé, et enfermé dans la prison du Temple.

Cette nouvelle incarcération l'incita à réfléchir. Allait-il continuer longtemps à mener cette vie d'activiste, constamment en danger, constamment en fuite ? Bonaparte était à présent bien en place ; il avait su pacifier le pays après tant d'années tumultueuses ; la population l'adulait, d'autant qu'il commençait à remporter des victoires à l'étranger – la première étant celle de Marengo, dans le Piémont, en juin 1800. À quoi cela servirait-il encore de se battre contre lui ? Autant guerroyer contre les moulins à vent !

Michaud avait toujours eu une grande passion : l'histoire. Mais il y a, se dit-il, différentes manières de s'adonner à une telle passion. On peut vouloir s'impliquer soi-même dans les événements, pour tenter d'infléchir le cours des choses ; c'est ce qu'il avait fait jusque-là, sans beaucoup de succès, et avec bien des désagréments. Et on peut également prendre l'histoire par un tout autre biais, celui de la recherche, de l'érudition, et de l'écriture ; en un mot, celui des historiens. C'est cette dernière voie qu'il suivra, se promit-il, et pour le restant de sa vie.

Dès sa sortie de prison, il s'y lança à corps perdu ; au bout d'un an, il publia un ouvrage sur l'Inde dont le titre à lui seul révélait sa volonté de prendre ses distances par rapport aux querelles politiques françaises : *Histoire des progrès et de la chute de l'empire de Mysore sous les règnes d'Hyder-Aly et Tippoo-Saïb*. Sur la page de couverture, tout en bas, l'adresse de l'éditeur : *À*

Paris, chez Giguet et Cie, imprimeurs-libraires, rue de Grenelle-Saint-Honoré. Ainsi, son sauveur était devenu son éditeur…

Deux ans plus tard, en 1803, fut publié *Le Printemps d'un proscrit*, qui dormait encore dans ses cahiers. Il l'avait écrit au cours de son errance, et le titre annonçait une œuvre militante ; mais ce long poème était, pour l'essentiel, méditatif et agreste. Sur la première page, on pouvait lire, cette fois : *À Paris, chez Giguet et Michaud, imprimeurs-libraires, rue des Bons-Enfans…*

La nouvelle enseigne allait bientôt se lancer dans une entreprise titanesque : le dictionnaire intitulé *Biographie universelle ancienne et moderne*, déjà cité à plusieurs reprises dans ces pages ; il comportera, à son apogée, quatre-vingt-quatre volumes, et ses nombreuses éditions connaîtront un grand succès dans toute l'Europe. Dans la présentation faite par les éditeurs, cette œuvre ambitieuse était définie comme « l'histoire, par ordre alphabétique, de la vie publique et privée de tous les hommes qui se sont fait remarquer par leurs écrits, leurs actions, leurs talents, leurs vertus ou leurs crimes ». De nombreux auteurs y contribuèrent, dont les articles, souvent bien documentés et plaisants à lire, demeurent une source irremplaçable pour la connaissance de la vie culturelle en France jusqu'à la première moitié du XIXe siècle.

Le véritable artisan de ce travail encyclopédique fut Louis-Gabriel Michaud, le frère cadet de Joseph. Leur ami Giguet était mort en 1810, alors que les premiers volumes de la *Biographie universelle* étaient encore en préparation ; quant au futur académicien, il n'allait pas tarder à se désintéresser de cette entreprise éditoriale pour consacrer son temps et son énergie à un seul sujet, dont il ne devait plus jamais se lasser, et auquel son nom resterait attaché : les croisades.

Cette passion était née en lui le jour où une femme de lettres, Sophie Cottin, à laquelle il était intimement lié, lui avait confié le manuscrit d'un roman, en le priant de le publier et de lui écrire une préface. Intitulé *Mathilde*, il racontait une idylle entre la sœur de Richard Cœur-de-Lion et le frère de Saladin. Tout en étant imaginaire, l'histoire n'était pas sans fondement, puisque le roi d'Angleterre avait effectivement proposé à son ennemi une telle alliance entre leurs familles – des chroniqueurs sérieux l'attestent. Il s'agissait, à l'évidence, d'une simple manœuvre politique qui n'avait aucune chance d'aboutir, mais l'on comprend qu'elle ait pu inspirer des œuvres romanesques. Le récit de Mme Cottin était bien mené, élégamment écrit, et dénotait un certain souci de la vraisemblance historique. Mais elle-même n'était pas satisfaite de ses connaissances en la matière, et elle espérait que Michaud, qui venait de publier son livre sur Mysore, pourrait offrir aux lecteurs, peu familiers des choses de l'Orient, quelques clés pour comprendre l'époque et les événements.

Avant de rédiger sa préface, le futur académicien se mit à lire sur les croisades tout ce qui lui tombait sous la main. Et ce fut pour lui une révélation. Plus il en savait, plus il avait envie de fouiller encore – les personnages, les pays, les motivations, les enjeux, les affrontements, les alliances. Il n'allait plus cesser d'écrire et de publier sur ce thème, en commençant, bien sûr, par ce qu'il avait promis à Mme Cottin : quand *Mathilde* parut en 1805, l'introduction signée «J. Michaud, éditeur» faisait 114 pages dans un volume qui en comptait au total 244...

Ce texte, par lequel il entendait préfacer le livre de son amie, nous apparaît, avec le recul, comme un prélude à sa propre œuvre maîtresse, la monumentale *Histoire des croisades*, dont il allait publier les premiers fragments en 1808, et dont il corrigeait encore certains chapitres sur son lit de mort, trente ans plus tard. C'est que ce journaliste converti en historien avait la tentation de faire un nouveau tirage chaque fois qu'il découvrait un document qu'il ne connaissait pas encore, ou une explication à laquelle il n'avait pas songé. De ce fait, il y aura de nombreuses éditions, certaines comprenant plus de six mille pages de récits, de cartes, de dessins, de «pièces justificatives», ainsi qu'un recensement minutieux de tout ce qui avait été écrit jusque-là sur ce thème.

De surcroît, le jour où Michaud vit sortir des presses la plus colossale de ces éditions, il éprouva du remords et de la honte pour n'avoir jamais visité les contrées qu'il venait de décrire ; et, bien qu'il fût de santé fragile, il décida de s'y rendre.

C'était en 1830, dans la dernière semaine de mai. Hasard des dates – au moment où il embarquait à Toulon, il put contempler la flotte française qui mettait à la voile pour aller conquérir l'Algérie. Lui-même, à bord d'un brick de guerre baptisé *Le Loiret*, partait dans une autre direction, vers l'est plutôt que vers le sud. Il visitera la Grèce, l'Anatolie, la Terre sainte, l'Égypte, et rapportera de son périple, en guise de complément moderne à son *Histoire des croisades*, sept volumes de lettres sous le titre de *Correspondance d'Orient*.

Son entreprise à la fois obsessionnelle et consciencieuse vaudra à l'académicien les éloges de Charles-Augustin de Sainte-Beuve, lecteur subtil des œuvres de son temps. Dans l'une de ses célèbres *Causeries du lundi*, il estima que « c'est à M. Michaud que revient cet honneur solide d'avoir eu, le premier chez nous, l'instinct du document original en histoire ». Il est vrai que le critique littéraire le trouvait « élégant, jamais éloquent... Il n'a jamais de ces mots qui font feu et qui illuminent » ; mais il lui reconnaissait un authentique désir d'objectivité, car « bien qu'il se prononce dans un sens plutôt favorable aux croisés et à l'inspiration religieuse qui les a poussés, l'auteur ne dissimule rien des désordres ni des brigandages ». Ayant moi-même effectué quelques recherches sur les croisades, et dans une perspective qui n'était pas celle de Michaud, je ne puis que souscrire à cette dernière appréciation.

★ ★
★

C'est le 5 août 1813 que Joseph Michaud fut élu au vingt-neuvième fauteuil, en remplacement de Jean-François Cailhava, décédé quarante jours plus tôt.

Être accueilli au palais de l'Institut a dû représenter pour lui, plus que pour d'autres académiciens, une expérience émouvante, puisque cette élégante bâtisse, qui abritait autrefois le collège des Quatre-Nations, avait été, dix-huit ans plus tôt, sa prison.

À plus d'un titre, d'ailleurs, les circonstances qui entouraient son arrivée sous la Coupole étaient inhabituelles. Paris vivait alors, comme la France entière, des heures tristes et sombres. Après la campagne de Russie, qui venait de s'achever en débâcle, le pays était exsangue, démoralisé, hébété, et dans l'attente du pire. Le régime impérial était encore en place, mais chacun savait qu'il n'en avait plus pour longtemps. L'élection de Michaud n'était-elle pas, en elle-même, un signe des temps ? Ce vieil adversaire du pouvoir, vaguement rallié sur le tard par opportunisme ou par lassitude, allait d'ailleurs s'acharner contre l'Empereur dès l'instant de sa chute, publiant une *Histoire des Quinze Semaines ou le dernier règne de Bonaparte*, un pamphlet peu glorieux déguisé en ouvrage d'histoire ; il y parlait des «Quinze Semaines» pour ne pas parler des «Cent Jours», une expression déjà entrée, et avec panache, dans la mythologie napoléonienne...

En ce climat de deuil, et avec une Académie qui n'avait pas encore repris ses habitudes ni son nom, il n'y eut aucune célébration, aucun discours de réception, aucun éloge du prédécesseur. Cailhava et Michaud se connaissaient pourtant un peu. Difficile de dire s'ils avaient de l'estime ou de l'amitié l'un pour l'autre ; mais il est quasiment certain qu'ils s'étaient déjà croisés, vu qu'ils avaient eu, à un moment de leur vie, des fréquentations communes.

Le premier lieu où ils ont pu se côtoyer est un salon littéraire parisien qui a eu son heure de gloire : celui de Fanny de Beauharnais. Cette dame lettrée et fortunée, parente par alliance de l'impératrice Joséphine, fut, sa vie entière, la protectrice de Cailhava, sa première lectrice, sa confidente. Et c'est également elle qui avait fait venir Michaud à Paris. Le jeune homme travaillait alors dans une librairie de Lyon, dit la notice qui lui est consacrée dans la *Biographie universelle* éditée par son frère. « Il était encore dans cette ville quand la comtesse Fanny de Beauharnais y passa en 1790… Il ne faut pas demander si l'apparition d'une femme riche, brillante, en crédit, aimant à se poser protectrice des lettres et à produire les jeunes talents, excita la verve des versificateurs lyonnais. Michaud fut un de ceux qui adressèrent leurs rimes à la grande dame, et il eut le bonheur de les voir accueillies. Assuré de trouver sous ses auspices à Paris une position analogue à ses goûts, il la suivit dans la capitale… »

Elle résidait rue de Tournon, et recevait dans son salon des personnages éminents ; on sait que Thomas Jefferson s'y rendit une fois, du temps où il représentait en France la jeune République américaine ; mais il n'en apprécia pas l'atmosphère, et il n'y revint plus.

S'agissant de Cailhava et de Michaud, il est raisonnable de présumer qu'ils s'y sont croisés à plusieurs reprises. Comme il est probable qu'ils se soient également rencontrés à une autre occasion. Le 14 juillet 1791,

deuxième anniversaire de la prise de la Bastille, une cérémonie fut organisée par la Société nationale des Neuf-
Sœurs – émanation publique de la loge – pour honorer
la mémoire de Benjamin Franklin, décédé l'année précédente. Le point d'orgue de la séance fut un long poème
composé et déclamé à la gloire du grand disparu :

> *Bienfaiteur des humains, il préserva la terre*
> *Du sceptre des tyrans et des coups du tonnerre.*
> *Pleurons tous sur la mort du plus grand des humains ;*
> *Sur sa tombe sacrée invoquons les destins ;*
> *Jurons par ses vertus, par sa cendre chérie,*
> *D'aimer l'humanité, de servir la patrie…*

Or l'auteur de ce serment dithyrambique n'était
autre que Joseph Michaud !

Comme Franklin était un personnage de tout premier plan, aussi renommé en France qu'aux États-Unis,
qu'il avait accompagné Voltaire le jour de son initiation maçonnique, et qu'il avait été lui-même à la tête
de la loge, on peut supposer que tous les « frères » de
renom ont dû y assister – dont Cailhava, sûrement ;
et peut-être aussi Florian. Ainsi, les hommes qui se
succédèrent sur le vingt-neuvième fauteuil pendant la
période si trouble de la Révolution se seraient retrouvés
un jour ensemble tous les trois ? Sans doute faudra-t-il
se contenter, en la matière, de ce conditionnel, et de ce
point d'interrogation.

Que Michaud ait écrit ce poème n'implique pas
forcément qu'il ait appartenu à la franc-maçonnerie.

Contrairement à la loge proprement dite, la Société nationale des Neuf-Sœurs était ouverte à des personnes qui croyaient aux mêmes idéaux, sans être nécessairement initiées. Son nom ne figure d'ailleurs pas dans la liste des «frères», ce qui laisse penser que sa proximité avec les francs-maçons fut de courte durée – comme le furent, à la même époque de sa vie, entre vingt-quatre et vingt-sept ans, ses vers enflammés à l'encontre «des rois et de la tyrannie».

Bien entendu, l'historien des croisades était dans de tout autres dispositions quand, à la chute de Napoléon, «les rois» remontèrent sur le trône en la personne de Louis XVIII. Il fut l'un des premiers à se rallier, et l'on voulut même le récompenser de sa fidélité en le choisissant comme membre de la première assemblée législative de la Restauration, surnommée – par le monarque lui-même, dit-on – la «Chambre introuvable», parce qu'elle était plus royaliste que lui. L'académicien y représentait l'Ain, le département où il avait passé une partie de son enfance comme de ses années d'errance.

Sa candidature donna lieu à un incident cocasse. Le fonctionnaire qui devait l'enregistrer lui demanda de produire les documents attestant sa nationalité française. Une simple formalité, en principe. Sauf que Michaud n'avait jamais obtenu, semble-t-il, la nationalité française. C'est en tout cas ce qu'affirme la

Biographie universelle dans la notice qui lui est consacrée, et qui a été sinon rédigée, du moins inspirée par Louis-Gabriel.

Sainte-Beuve affirme que, dans leurs dernières années, les deux frères se haïssaient ; cela explique que le cadet n'ait pas voulu dissimuler un incident si embarrassant pour l'aîné ; mais cela ne veut certainement pas dire qu'il l'a inventé de toutes pièces.

Les plus jeunes enfants de la famille Michaud étaient bien de nationalité française, ayant vu le jour dans l'Ain, au château de Richemont ; mais Joseph était déjà né, en 1767, près d'Albens, en Savoie, sur un territoire qui appartenait au royaume de Sardaigne – qui comprenait également, à la même époque, Nice et la Corse. L'académicien était donc un ressortissant sarde, tout comme son père, qui avait fréquenté l'école militaire de Turin, et qui se destinait à intégrer l'armée de Charles-Emmanuel III, roi de Sardaigne, prince du Piémont et duc de Savoie, quand un incident grave le contraignit à fuir son pays natal et à s'expatrier en France.

Le plus étonnant, c'est que Joseph Michaud n'ait jamais demandé la nationalité française. Était-ce par négligence, ou par désinvolture ? Était-ce par crainte de révéler qu'il ne l'avait pas ? Était-ce parce que cet éternel fugitif voulait avoir un pays où aller si la France de la Révolution ou de l'Empire devenait soudain inhospitalière ? C'est cette dernière explication que donne, perfidement, son frère. Il laisse même entendre qu'il lui a « prêté » ses propres papiers d'identité pour qu'il puisse enregistrer sa candidature, et que c'est au prix de cette «légère supercherie» qu'il put devenir député.

Sa carrière parlementaire allait être brève. La «Chambre introuvable» fut dissoute au bout de quelques mois; ce ramassis d'ultras s'était révélé, pour le roi lui-même, un encombrement plutôt qu'un avantage. Quant à Michaud, il n'était manifestement pas fait pour l'hémicycle. Sans doute écrivait-il soigneusement ses discours et ses propositions de lois; mais quand venait le moment de les dire à la tribune, c'était chaque fois un désastre. Cet homme frêle, grand de taille mais recourbé, avait la voix basse et le souffle court, on l'entendait à peine, ses effets de style tombaient à plat. Il est même arrivé que des collègues charitables lui prennent les papiers des mains pour les lire à sa place.

Cette parenthèse étant refermée, il revint sans déplaisir à ses chères croisades. Cherchant encore des documents inédits, écrivant, publiant sans relâche. Ceux qui l'ont connu décrivent ses dernières années comme heureuses et studieuses, avec une épouse aimante et de jeunes disciples admiratifs qui l'assistaient dans ses travaux et l'accompagnaient dans ses voyages.

S'il n'avait pas les qualités d'un orateur, c'était un remarquable causeur; dans les salons, les conseils de rédaction, de même qu'à l'Académie, on guettait ses traits d'esprit, ses toussotements d'impatience, et plus que tout, ses souvenirs de jeunesse. Il aimait à dire qu'il avait été incarcéré onze fois, et deux fois condamné à mort; et il racontait sans lassitude à qui voulait l'entendre cette mémorable journée où son ami Giguet lui avait permis de fausser compagnie aux gendarmes.

Joseph Michaud mourut paisiblement dans sa maison d'Auteuil, le 30 septembre 1839. Cloué au lit dans ses dernières semaines, il corrigeait toujours des épreuves, en espérant encore, mais faiblement, pouvoir se relever. «Le docteur me dit que je me tirerai de là, écrivait-il à un ami. La médecine est comme la politique, elle fait de belles promesses.»

Ce qu'il ne pouvait pas savoir, c'est qu'après lui allait s'ouvrir, dans l'histoire du vingt-neuvième fauteuil, une époque glorieuse dédiée, justement, à la médecine.

11

Celui qui fut élu contre Victor Hugo

Comment ne pas regretter que, lors de l'élection du successeur de Michaud au vingt-neuvième fauteuil, en février 1840, on ait préféré Pierre Flourens à Victor Hugo – déjà célèbre, pourtant, et candidat pour la troisième fois? De nos jours, le rival du grand homme est tombé dans l'oubli; mais il serait abusif d'en conclure que les académiciens de ce temps-là s'étaient déconsidérés en le choisissant.

L'échec de l'écrivain s'explique par le fait que ses adversaires avaient eu l'habileté de ne pas l'affronter sur le terrain de la valeur littéraire, et de lui opposer plutôt un savant, un éminent professeur de physiologie, dont les conférences attiraient un public nombreux, et qui se trouvait être, de surcroît, le secrétaire perpétuel de l'Académie des sciences. Le scrutin fut extrêmement serré. Il y avait, ce jour-là, 31 votants, et la majorité absolue était de 16 voix. Hugo en obtint 14 au premier tour, 15 au deuxième et 14 au troisième. Flourens eut 14, 14, puis 15. Et c'est seulement au quatrième tour que le savant l'emporta par 17 voix contre 12.

Pour le poète, ce n'était que partie remise; il allait être élu dix mois plus tard. Mais, sur le moment, ses admirateurs étaient furieux. «Ce n'est pas à l'Académie française qu'on extrait des racines cubiques, et Richelieu n'a nullement songé, dans sa création, aux cornues et à tous les appareils de laboratoire!» s'irritait un journal de l'époque. D'autres articles se montraient plus subtils, bien qu'aussi sévères, déplorant qu'un physiologiste distingué se fût «prêté à une intrigue pour être élu par une coalition de littérateurs plus ou moins étrangers à la science, par des faiseurs de petits vers d'opéra-comique et des royalistes boudeurs».

Sans doute l'élection du professeur Flourens avait-elle résulté d'un stratagème. Mais la présence d'un savant à l'Académie française n'avait rien d'incongru, d'aberrant, ni de scandaleux; ce que le nouvel élu s'employa à démontrer, avec passion, dès les premières paroles de son discours de réception.

«Messieurs,

«L'union des lettres et des sciences commence, dans notre patrie, avec la langue elle-même.

«Descartes crée tout à la fois, au XVIIe siècle, une géométrie, une philosophie, une langue nouvelles. Dans le XVIIIe, Fontenelle fait parler aux sciences la langue commune; Buffon leur fait parler celle de l'éloquence; la langue de Voltaire donne des ailes à la renommée de Newton…

«Un esprit philosophique nouveau naît des sciences. Cet esprit, supérieur aux sciences mêmes, n'est-il pas,

Messieurs, un des caractères les plus marqués de nos temps modernes ? N'a-t-il pas influé sur tout ?

« Sur la philosophie ? On l'a déjà vu ; c'est un géomètre qui a fondé la philosophie nouvelle.

« Sur la langue ? C'est ce même géomètre qui a écrit le *Discours de la méthode*, c'est-à-dire le premier ouvrage où notre langue a pris sa nouvelle forme. Et cette nouvelle forme, celui qui l'a portée tout à coup à un degré si étonnant d'élévation et de perfection est encore un géomètre, c'est l'auteur des *Lettres provinciales*, c'est Pascal !

« Sur l'histoire, enfin ? Un écrivain philosophe du dernier siècle, David Hume, voulait qu'elle se soumît à la méthode des sciences. Et c'est parce qu'elle s'y est soumise, parce qu'elle s'est attachée aux faits, que l'histoire a pris de nos jours un nouvel essor ; une vérité qui n'a pas besoin de preuves, sans doute, mais qui trouverait une preuve frappante dans l'ouvrage le plus important de l'académicien célèbre dont je dois parler aujourd'hui. »

Cette dernière envolée de l'orateur était, à l'évidence, une manière commode d'entamer ce qui constitue, traditionnellement, le « plat de résistance » de tout discours de réception : l'éloge du prédécesseur. Une transition tout à fait pertinente, d'ailleurs, vu que le recours à une documentation abondante et méticuleuse, qui est la caractéristique reconnue de l'*Histoire des croisades* de Michaud, représente effectivement un bel exemple de l'introduction de la méthode scientifique dans l'étude de l'histoire.

Ce sont, toutefois, les premières phrases du discours qui restèrent dans la mémoire du public rassemblé sous la Coupole ce jour-là, le jeudi 3 décembre 1840. On s'attendait à ce que le nouvel académicien répondît, d'une manière ou d'une autre, au tollé insultant qui avait accueilli son élection face à Victor Hugo ; mais Flourens ne s'était pas contenté de justifier sa présence à l'Académie française. En quelques paragraphes brefs, il avait su rendre compte d'un véritable phénomène de civilisation. S'élevant au-dessus des querelles entre « classiques » et « romantiques », entre républicains, bonapartistes, orléanistes ou légitimistes, et au-dessus des inévitables conflits de personnes, il avait rappelé à ses confrères qu'un monde nouveau était en train de naître, dans lequel la science, son esprit, ses méthodes et ses applications allaient jouer un rôle déterminant. Et pas uniquement dans les domaines du savoir ou de l'enseignement ; en France, comme en Angleterre, comme dans d'autres pays, la généralisation des machines allait produire de nouvelles relations entre les hommes, de nouvelles doctrines politiques et philosophiques, transformant à la fois l'existence matérielle et la vie intellectuelle de la population entière.

Le hasard des élections académiques allait faire du vingt-neuvième fauteuil, au XIXᵉ puis au XXᵉ siècle, un témoin privilégié de cette métamorphose, grâce à une succession de personnalités mondialement respectées, dans les sciences de la nature comme dans les sciences humaines.

À nos yeux, l'étoile de Pierre Flourens ne brille sûrement pas du même éclat que celle de Claude Bernard, d'Ernest Renan ou de Claude Lévi-Strauss ; mais son apport n'est aucunement négligeable. Ne serait-ce qu'en raison de sa contribution à l'élaboration d'un des outils majeurs de la médecine moderne : l'anesthésie. Celle-ci est, de nos jours, si répandue, si habituelle, qu'il nous est difficile d'imaginer ces temps calamiteux où les patients demeuraient réveillés et hurlaient de douleur pendant qu'un chirurgien leur ôtait la vésicule biliaire ou les amputait d'une jambe. Flourens fut l'un des tout premiers chercheurs à étudier les propriétés du chloroforme et à les faire connaître à la communauté médicale.

On ne peut attribuer à aucune personne l'invention de l'anesthésie. Comme pour d'autres techniques similaires, elle a été le produit d'une longue évolution à la fois conceptuelle et expérimentale. Ce qui ne doit pas nous faire dédaigner ceux qui, à chaque étape de ce cheminement, ont permis au savoir et à la pratique de progresser d'un pas. Dans les sciences et les techniques, un chercheur est un noble rouage, et même s'il est plus que légitime de rendre hommage à un savant particulier, à son travail, à son intuition ou à son génie, il faut garder à l'esprit qu'une découverte est toujours le fruit d'une longue succession de minuscules avancées ; et que si de nouvelles idées viennent régulièrement infirmer les conceptions antérieures, elles sont elles-mêmes destinées à être dépassées par celles qui viendront après.

N'est-ce pas là, d'ailleurs, l'une des différences majeures entre l'univers de l'art et celui de la science ? Le premier change, se transforme, mais on ne peut pas dire qu'il progresse. Une sculpture réalisée à Los Angeles au XXIᵉ siècle ne rend pas obsolète une sculpture réalisée à Athènes deux millénaires et demi plus tôt ; les fresques de Picasso ne rendent pas caduques les peintures murales de Lascaux ; et les poèmes d'aujourd'hui ne rendent pas surannés les sonnets de Shakespeare. À l'inverse, les techniques employées par les praticiens du XIXᵉ siècle sont, pour les médecins d'aujourd'hui, précisément cela : « obsolètes », « caduques » et « surannées ». La science est destinée, par son mode d'évolution, à être collective et largement anonyme. Ce qui n'enlève rien au génie des découvreurs individuels, ni à la valeur de la contribution de chacun aux avancées réalisées à son époque.

S'agissant de Flourens, il semble bien qu'il ait eu des intuitions pertinentes et novatrices. Comparant le comportement d'un ivrogne à celui d'un fumeur d'opium, il observa que le premier avait « une ivresse des mouvements », le second « une ivresse des sens » ; des expériences sur des oiseaux l'amenèrent à conclure que l'alcool agissait sur le cervelet, et l'opium sur les hémisphères cérébraux. Longtemps on a considéré le cerveau comme une masse compacte, sans prêter beaucoup d'attention aux régions qui le constituent ni à la fonction spécifique de chacune; grâce à des savants comme Flourens, qui posaient de bonnes questions même s'ils ne parvenaient pas toujours aux bonnes réponses, une allée passionnante s'était ouverte, qui continue à être explorée, et qui s'avère chaque jour un peu plus prometteuse. En cela, il fut un précurseur des neurosciences d'aujourd'hui.

Sur cette terre inconnue il s'aventura avec passion, mais aussi avec circonspection. Ce qui ne fut pas, en ce temps-là, le cas de tous les chercheurs. L'engouement était grand pour cette incursion de la science dans les méandres du cerveau. Une théorie, notamment, fit son apparition, qui prétendait bâtir sur les nouvelles découvertes toute une vision de l'homme. Conçue par le médecin allemand Franz Joseph Gall, elle fut baptisée «phrénologie» et connut, dans la première moitié du XIXe siècle, une grande vogue, bien au-delà des milieux scientifiques. Son ouvrage fondateur, publié à Paris et en langue française à partir de 1810, s'intitule: *Anatomie et physiologie du système nerveux en général et du cerveau en particulier, avec des observations sur la possibilité de reconnaître plusieurs dispositions intellectuelles et morales de l'homme et des animaux par la configuration de leurs têtes.* Gall et ses collaborateurs étaient persuadés qu'on pouvait, par une palpation savante des «bosses» du crâne, détecter les prédispositions d'une personne à la criminalité, à la paresse, à la religiosité ou à l'infidélité conjugale.

Aux yeux des hommes et des femmes d'aujourd'hui, qui gardent constamment à l'esprit les dérives du

XXe siècle, de telles affirmations sont monstrueuses. Il y a deux cents ans, on n'avait pas le recul nécessaire pour manifester spontanément une répulsion similaire.

De ce fait, les théories de Gall séduisaient bien des gens, de tous bords. Les tenants d'un certain matérialisme y voyaient une réfutation des doctrines religieuses sur le libre arbitre comme sur l'immatérialité de l'âme; les adeptes des utopies sociales égalitaristes y voyaient un moyen de «remodeler» les hommes sur des bases objectives, littéralement «palpables», plutôt que sur les critères traditionnels qu'étaient la naissance ou la fortune; ceux qui prônaient une politique de colonisation voyaient là un moyen de démontrer scientifiquement l'existence d'aptitudes innées chez les «races civilisées». Mais il y avait aussi, plus généralement – plus innocemment, pourrait-on dire –, tous ceux qui croyaient sincèrement se trouver en présence d'une théorie scientifique légitime; la Société phrénologique de Paris, fondée en 1831, était présidée par le professeur Broussais, qui a donné son nom à un hôpital prestigieux, et qui demeure jusqu'à ce jour l'une des gloires de la médecine française.

Le phénomène prit une telle ampleur que les autorités du pays, intriguées, et passablement inquiètes, décidèrent de demander à une personnalité hautement respectée du monde scientifique d'évaluer la nouvelle théorie et de leur dire ce qu'il en était. Leur choix tomba fort logiquement sur Flourens. Professeur de physiologie comparée au Muséum d'histoire naturelle, membre éminent de l'Académie des sciences, de la

Royal Society de Londres, de l'Académie royale de Stockholm et d'une poignée d'autres, le titulaire du vingt-neuvième fauteuil de l'Académie française avait le savoir et la crédibilité qu'il fallait.

L'ouvrage qu'il publia en 1842 s'intitulait simplement: *Examen de la phrénologie.* Ce n'était pas un pamphlet mais une évaluation – rationnelle, systématique, précise, et cependant implacable.

Tout en admettant que certains phrénologistes étaient des chercheurs talentueux et audacieux, il mettait en doute la valeur scientifique de leur théorie, et jugeait dangereuses ses implications morales. À titre d'exemple, il citait ce passage de Gall: «Que ces hommes si glorieux qui font égorger les nations par milliers, sachent qu'ils n'agissent point de leur propre chef, que c'est la nature qui a placé dans leur cœur la rage de la destruction.» Ce à quoi Flourens rétorquait, non sans colère: «Eh non! Ce qu'il faut que l'homme sache, ce qu'il faut lui dire, c'est qu'il a une force libre; c'est que cette force ne doit point fléchir; et que l'être en qui elle fléchit, sous quelque philosophie qu'il s'abrite, est un être qui se dégrade.»

Dès la première page de son *Examen,* l'académicien avait affirmé, d'ailleurs, avec vigueur, et avec clarté, que sa mission d'évaluation avait des implications morales qui allaient bien au-delà de l'aspect purement anatomique ou physiologique: «Chaque siècle relève de sa philosophie. Le XVIIᵉ relève de la philosophie de Descartes; le XVIIIᵉ relève de Locke et de Condillac; le XIXᵉ doit-il relever de Gall?»

La phrénologie ne se remettra pas de l'*Examen* impitoyable auquel Pierre Flourens l'avait soumise. Elle sera désormais considérée comme une «pseudo-science», et comme l'exemple même d'une théorie qui, partie d'une recherche sérieuse, menée par d'authentiques savants, s'était fourvoyée dans des généralisations fumeuses et moralement répugnantes. De la grande vogue qu'elle a connue à Paris, il ne reste dans la langue française qu'une expression, «avoir la bosse des maths», que bien des gens emploient couramment sans savoir qu'elle a son origine dans les doctrines du docteur Gall.

Le titulaire du vingt-neuvième fauteuil avait joué, dans cette affaire, un rôle plus qu'honorable, qui a dû apaiser la conscience de ceux qui l'avaient choisi contre le grand Hugo. En 1845, Louis-Philippe, roi des Français, nommera simultanément les deux hommes à la Chambre des pairs.

Pour le restant de sa carrière, Flourens jouira de l'estime de ses contemporains. De nombreuses académies scientifiques d'Europe l'inviteront à les rejoindre. Le Collège de France lui confiera une chaire d'Histoire naturelle des corps organisés. Et quand, à son décès, l'Académie lui donnera pour successeur l'un des savants les plus illustres de son époque, celui-ci n'étonnera aucunement l'auditoire en disant à ses confrères, dans son discours de réception : «Vous avez perdu un physiologiste éminent, et vous avez pensé qu'en admettant parmi vous un homme qui s'est voué à la culture de la même science, vous rendriez un hommage

plus éclatant à la mémoire de celui que vous regret-
tez.» Avant d'ajouter que «c'est aux expériences de
M. Flourens que nous devons nos principales connaissances sur le siège de la conscience».

En s'éteignant le 6 décembre 1867, à l'âge de
soixante-treize ans, le onzième titulaire du fauteuil
eut, pourrait-on dire, le privilège d'échapper aux événements tragiques qui allaient bientôt traumatiser son
pays et endeuiller sa famille : l'humiliante défaite dans la
première guerre franco-allemande en 1870, suivie de la
révolte sanglante appelée dans l'histoire la «Commune
de Paris», dont son fils aîné, Gustave Flourens, un
familier de Karl Marx, fut l'un des dirigeants, avec le
grade de général, avant d'être exécuté sommairement
d'un coup de sabre par un gendarme loyaliste.

L'existence de Pierre Flourens connaîtra ensuite,
mais bien plus tard, un post-scriptum moins triste.

En 1994 est paru un roman inédit de Jules Verne,
Paris au vingtième siècle. Écrit au début des années
1860, il s'efforçait d'imaginer ce que serait la capitale
française cent ans plus tard. Après l'avoir lu et relu, son
éditeur de l'époque lui avait déconseillé de le publier,
estimant qu'il manquait de vraisemblance et qu'il
pourrait nuire à sa carrière. L'auteur avait accepté la
sentence et enterré le manuscrit dans ses archives.

Au chapitre XVI, on lit que le héros, Michel, «passa devant la Sorbonne où M. Flourens faisait encore son cours avec le plus grand succès, toujours ardent, toujours jeune». Mais que venait donc faire notre physiologiste dans les années 1960? Selon toute probabilité, il s'agit là d'une allusion plaisante de Jules Verne, non pas à «l'immortalité» académique de Flourens, mais à un livre que celui-ci avait publié en 1857, et qui avait connu un immense succès. Intitulé *De la longévité humaine*, l'ouvrage promettait «de grandes espérances: un siècle de vie normale, et jusqu'à deux siècles de vie extrême; et tout cela à une simple condition, mais qui est rigoureuse: celle d'une bonne conduite, d'une existence toujours occupée, du travail, de l'étude, de la modération, de la sobriété en toutes choses».

Le clin d'œil à un Flourens «toujours jeune», toujours en train de donner son cours à l'âge de cent soixante-dix ans, aurait fait sourire les contemporains de Jules Verne. Hélas, à la sortie si tardive du livre, rares étaient les lecteurs qui pouvaient comprendre l'allusion.

12

Celui qui a voulu réinventer la médecine

Quand Claude Bernard se leva pour prononcer son discours de réception sous la Coupole, le jeudi 27 mai 1869, l'un de ses confrères affichait un sourire différent de celui des autres. C'était le critique littéraire Saint-Marc Girardin. Il ne pouvait s'empêcher de revoir, sous l'allure majestueuse du savant le plus admiré de France, le regard inquiet du jeune homme grand et mince qui était venu chez lui trente-cinq ans plus tôt pour lui soumettre une pièce qu'il avait écrite. Girardin l'avait lue, et il s'était fait très vite une opinion : l'auteur n'était pas dénué de talent littéraire, mais il n'en avait pas suffisamment pour que cela vaille la peine d'y consacrer sa vie. Il le lui avait dit sans ménagement.

Son visiteur avait gardé bonne figure, mais il était, à l'évidence, secoué. C'est tout autre chose qu'il espérait entendre. Le théâtre était pour lui une passion, et aussi, en ces premières années de sa vie adulte, une planche de salut. Il avait eu une scolarité médiocre, il avait échoué au baccalauréat, et ses parents, viticulteurs à Saint-Julien, dans le Beaujolais, l'avaient placé comme apprenti chez un apothicaire lyonnais. Mais il s'ennuyait à mort dans l'officine de M. Millet, où l'on continuait à préparer, comme du temps d'Avicenne, et comme dans la Grèce antique, l'irremplaçable thériaque, composée de plusieurs dizaines d'ingrédients, dont l'opium, la réglisse, le millepertuis, le castoréum ou le bitume, sans oublier la chair de vipère séchée; l'universel remède jadis administré au roi Mithridate en guise d'antidote était encore prescrit deux millénaires plus tard pour guérir toutes sortes de maux.

Le jeune apprenti ne vivait que pour les rares moments de la semaine où il pouvait ôter son tablier pour courir au théâtre. Le plaisir! L'éblouissement! La vraie vie!

À dix-neuf ans, il écrivit un vaudeville, *La Rose du Rhône*, qui fut joué dans la salle des Célestins, et qui lui rapporta cent francs. N'était-ce pas là un début prometteur? Il s'attela aussitôt à l'écriture d'une deuxième pièce, plus ambitieuse, une tragédie historique en cinq actes qu'il intitula *Arthur de Bretagne*. Dès qu'il l'eut terminée, il la fit lire à des amis, qui lui suggérèrent de monter à Paris pour la soumettre à Girardin. Celui-ci n'était pas encore à l'Académie française, mais il enseignait la littérature à la Sorbonne, il publiait ses articles dans divers journaux, et son opinion avait du poids dans l'univers du théâtre.

Claude Bernard avait vingt et un ans quand il était allé le voir. Et les paroles qu'il avait entendues de sa bouche devaient retentir longtemps encore dans sa mémoire. «Vous avez fait de la pharmacie, me dites-vous? Alors faites de la médecine, et gardez la littérature pour vos heures de loisir!»

Sans doute le jeune homme en fut-il, sur le moment, profondément meurtri. Mais il eut le courage moral et la sagesse de ne pas s'entêter, et de suivre à la lettre les conseils de l'éminent critique.
Mettant définitivement un terme à ses ambitions littéraires, il se replongea dans ses livres scolaires et se présenta de nouveau au baccalauréat, qu'il finit par obtenir, à l'arraché, quelques mois plus tard; puis il s'inscrivit à la faculté de médecine de Paris. Où, soit dit en passant, il ne fut pas le plus brillant des élèves. Comme le rapportera son ami Paul Bert, qui lui succédera au Collège de France, «ses camarades ne soupçonnaient pas ce que recelait en son vaste front cet étudiant silencieux, peu attentif aux leçons des maîtres, et dont le calme méditatif était volontiers taxé par eux de paresse».
Il put passer l'externat en 1839, mais laborieusement, se classant 26ᵉ sur 29. Et s'il devint, en 1843, docteur en médecine, il échoua l'année suivante au concours d'agrégation d'anatomie et de physiologie – sans doute parce qu'il s'exprimait mal et qu'il avait de la difficulté à présenter convenablement ses travaux.
En apparence, rien dans son parcours ne laissait deviner qu'on allait voir éclore l'une des personnalités les plus remarquables de l'histoire des sciences. Peut-être faudrait-il se demander, d'ailleurs, si ce n'est pas justement cette absence de lustre qui explique sa

grandeur. L'un des drames des médecins des temps passés, tels qu'ils ont été abondamment moqués par Molière et tant d'autres, c'est qu'ils officiaient avec suffisance, et faisaient taire les profanes en leur assenant des citations de Galien, d'Hippocrate ou de Rhasès, truffées de mots opaques, et dans une langue que le vulgaire ne comprenait pas. Tout autre était Claude Bernard. « Nul pédantisme, nul travers de savant, une simplicité antique, la conversation la plus naturelle, la plus éloignée de toute affectation, mais la plus nourrie d'idées justes et profondes », dira à son propos Louis Pasteur. Et les frères Goncourt se montreront subjugués quand ils l'entendront dire « On a trouvé » à propos de ses propres découvertes.

Cette modestie n'était pas seulement une forme de politesse et d'élégance morale. Elle était également le reflet d'une approche scientifique nouvelle. Son objectif n'était pas de faire *une* découverte spectaculaire, ni de trouver *un* remède miracle. Il était bien plus ambitieux que cela : il voulait tout bonnement fonder une autre médecine. De son point de vue, celle-ci devait être reconstruite à partir de zéro, et cette fois comme une vraie science. Il fallait reprendre l'étude de chaque organe, de chaque sécrétion, de chaque tissu, de chaque nerf, comprendre leur fonction, et déceler de ce fait les véritables causes de leurs dysfonctionnements.

Toute sa vie, il se battra contre l'idée, si fortement ancrée dans les esprits, selon laquelle il y aurait une différence fondamentale entre les sciences qui traitent de la matière et celles qui traitent du vivant, les premières obéissant à des lois immuables, les autres laissant une place à l'insaisissable, à l'incompréhensible, à l'aléatoire, au mystérieux, à «la force vitale». «Quand un phénomène obscur ou inexplicable se présente, au lieu de dire : Je ne sais, ainsi que tout savant doit faire, les médecins ont l'habitude de dire : C'est la vie ; sans paraître se douter que c'est expliquer l'obscur par plus obscur encore...», écrira-t-il. Avant d'ajouter, avec un brin de provocation, que «la vie», invoquée dans ce cadre, «n'est rien qu'un mot qui veut dire ignorance». Pour lui, la science médicale devait, comme toute autre science, procéder par expérimentation, et formuler des lois ; il s'irritait quand on la décrivait comme un art.

Pendant des années, il travailla sans tapage, dans les laboratoires, dans les salles de cours, entouré de ses élèves, de ses collègues, de ses maîtres. Ses publications de l'époque s'intitulaient : *Du suc gastrique et de son rôle dans la nutrition*, *De l'assimilation du sucre de canne*, *Recherches sur la corde du tympan*, *Sur les fonctions du nerf spinal*, *Expériences sur le nerf facial*, *Autopsie d'un diabétique*, etc.

Et soudain, tout a basculé. Le chercheur quasiment anonyme est devenu, du jour au lendemain, une référence, une célébrité, un mythe. Non en raison d'une découverte spectaculaire ou d'une guérison prodigieuse, mais, en quelque sorte, «par accumulation». Les foules parisiennes ne s'étaient pas subitement passionnées pour le nerf spinal, ni pour la corde du tympan. Simplement, le bruit a commencé à se répandre, d'abord dans les milieux scientifiques et académiques, puis dans des cercles plus vastes, qu'un certain Claude Bernard était en train de révolutionner la médecine, qu'il voulait en finir avec les conceptions surannées, et que chacun de ses travaux tranchait avec ce qui se faisait avant lui.

À partir de sa quarantième année, toutes les portes se sont mises à s'ouvrir, l'une après l'autre. En 1854, il fut élu à l'Académie des sciences, qui l'avait éconduit quatre ans plus tôt. La même année, la Sorbonne créa, à son intention, une chaire de physiologie expérimentale. Au Collège de France, il hérita de la chaire de son maître, le professeur Magendie, comme si elle lui revenait de droit. De nombreuses académies et sociétés savantes étrangères, de Londres à Saint-Pétersbourg, et de Stockholm à Constantinople, l'invitèrent à les rejoindre.

Lorsqu'un accident de santé le contraignit à s'éloigner de ses éprouvettes et de ses tables de dissection pour aller se reposer quelques mois dans son village natal, il en profita pour prendre de la hauteur et pour commencer à écrire une *Introduction à l'étude de la médecine expérimentale*, qui devait être le premier volet d'une œuvre plus ample, les *Principes de médecine expérimentale*. Celle-ci demeurera inachevée ; mais peu importe, l'auteur avait déjà dit l'essentiel.

Ceux qui n'étaient pas des familiers de Claude Bernard, et qui ne pouvaient non plus comprendre ses travaux de spécialiste, découvrirent soudain, et avec

fascination, par-delà le savant, un penseur, un humaniste, et même un visionnaire. Rares, en effet, sont les
esprits qui ont la capacité d'embrasser d'un même
regard l'objet sur lequel ils se penchent et le vaste
monde où sont situés l'objet et le chercheur. Le philosophe Henri Bergson ira jusqu'à comparer l'*Introduction* au *Discours de la méthode* de Descartes. «Deux fois
seulement dans l'histoire de la science moderne, l'esprit
d'invention s'est replié sur lui-même pour s'analyser
et pour déterminer ainsi les conditions générales de la
découverte scientifique.»

Les membres de l'Académie française, qui n'étaient
pas en mesure d'évaluer sa contribution à la science, le
contemplaient à présent avec intérêt, et admiration. Et
quand le vingt-neuvième fauteuil se retrouva vacant à la
mort de Flourens, ils l'y élurent sans trop d'hésitation.
Trois semaines avant sa réception solennelle sous la
Coupole, il fut nommé par Napoléon III sénateur de
l'Empire.

Claude Bernard était alors au sommet de sa gloire,
et peu de gens savaient à quel point il était malheureux.

Il avait fait, à trente et un ans, par l'entremise de
quelques amis, un mariage arrangé. Le procédé n'était
pas inhabituel, à cette époque-là, et les conditions
semblaient propices pour que tout aille bien. Claude
avait réussi le concours d'externat, et Marie-Françoise,

dite Fanny, fille d'un éminent médecin parisien, avait une dot considérable qui était censée mettre le ménage à l'abri du besoin. Très vite, cependant, les choses s'étaient mal passées entre eux. Elle s'attendait à avoir une vie sociale, lui était constamment absorbé par ses travaux ; les rares fois où il prenait des vacances, il se rendait aussitôt chez sa mère, dans le Beaujolais. Bien plus grave que tout cela : le premier enfant du couple, un garçon, ne vécut que trois mois ; ils avaient eu ensuite deux filles et un autre garçon ; puis ce dernier était mort, lui aussi, en bas âge. Ces épreuves renforcèrent, chez les deux parents, l'amertume, l'acrimonie, la méfiance et la désaffection. Ils ne cessaient de s'éloigner l'un de l'autre. Sans doute n'y avait-il jamais eu entre eux une grande complicité ; mais au bout de quelques années, ils en arrivèrent à se haïr, et à s'entre-déchirer.

Leur conflit éclata au grand jour lorsque Fanny Bernard s'engagea corps et âme dans un combat passionné contre la vivisection animale. Son mari voyait dans ce procédé un mode d'expérimentation irremplaçable, et il le recommandait ardemment à ses disciples. Pour elle, c'était de la torture, c'était cruel, et monstrueux. Leurs deux filles prirent fait et cause pour leur mère.

Ceux qui jalousaient le savant se gaussaient de cette querelle ; ses amis s'en affligeaient ; la plupart des gens trouvaient la chose cocasse ; au sein de la famille, c'était un cauchemar de chaque instant. Fanny finit par dire à Claude de ne plus s'approcher d'elle « parce qu'il sentait la charogne». Il dut quitter le domicile conjugal pour s'installer dans un petit appartement de la rue des Écoles, juste en face du Collège de France – là même où s'élève aujourd'hui sa statue. Et il demanda la séparation, qui lui fut accordée, par décision de justice, en 1870.

Fort heureusement pour lui, il avait rencontré, l'année précédente, une personne qui allait ensoleiller son existence. Jamais ils n'habiteront sous le même toit, et rien ne permet d'affirmer que leur relation fut autre chose que platonique, et principalement épistolaire; mais cette dame comptera pour lui plus que tout être au monde, et jusqu'à son dernier souffle.

Marie Sarah Raffalovitch était mère de trois enfants, et elle vivait, semble-t-il, en bonne entente avec son mari, Hermann, qu'elle connaissait depuis son plus jeune âge. Il avait été banquier à Odessa; c'est là qu'ils s'étaient mariés et qu'étaient nés leurs deux premiers enfants. Ils avaient émigré en France au lendemain du tout premier pogrom de l'Empire des tsars, qui avait eu lieu à Odessa, justement, lors des fêtes de Pâques 1859, et qui avait été mené, selon des témoins contemporains, par les matelots grecs du port plutôt que par la population russe.

Marie était fortunée, cultivée, et fort belle, avec des yeux légèrement bridés. Elle parlait plusieurs langues, écrivait parfois dans les journaux, et suivait de près la vie culturelle et mondaine. C'est au Collège de France qu'elle avait rencontré le grand homme dont elle allait devenir la confidente. Il n'était pas rare que des auditeurs libres viennent assister aux leçons d'un professeur renommé. Quelquefois, c'étaient des personnages illustres ; Claude Bernard avait eu l'occasion de faire son cours en présence de Gustave Flaubert, de Théophile Gautier, de l'empereur du Brésil, Pedro II, ainsi que du prince de Galles, le futur Édouard VII.

Marie y était venue la première fois par pure curiosité. Elle n'avait pas un intérêt particulier pour la matière enseignée, mais elle avait évidemment entendu parler de l'homme, de son caractère, de ses découvertes, et elle avait envie de le voir de près. Et il la remarqua, bien sûr. L'assistance ne comptait qu'une cinquantaine de personnes en moyenne, et une si belle femme, habillée avec distinction, ne pouvait passer inaperçue.

Elle y revint encore, plus d'une fois. Et un jour, elle lui laissa un mot pour lui demander un conseil de santé. C'était là, il faut bien le dire, une ruse de midinette ; chacun savait que le physiologiste se cantonnait dans la recherche et l'enseignement. Mais il lui répondit courtoisement, en lui donnant le nom d'un praticien de ses amis, qu'elle alla voir. Elle lui écrivit à nouveau pour le remercier de son conseil et lui dire qu'elle souhaitait le recevoir à sa table. Ce qu'il accepta sans manières.

Cette aimable personne arrivait dans sa vie au meilleur moment possible ; désemparé par la faillite de son couple, il l'était encore plus par la mort récente de sa mère, à laquelle il était extrêmement attaché ; la présence à ses côtés d'une amie intelligente, discrète, affectueuse, admirative, était un cadeau du ciel. Dès le commencement de leurs échanges, il se sentit suffisamment en confiance pour lui faire part de ses peines : «La coupe de la vie a toujours été pour moi remplie d'amertume et aujourd'hui plus que jamais. Néanmoins, je sauve les apparences et passe pour un homme très heureux...» Et aussi de ses joies : «Pour le moment, je suis transformé en vigneron, lui écrivit-il un jour, lors d'un séjour dans le Beaujolais. Ce sont là des occupations familières et au milieu desquelles je suis né ; elles me sont certainement plus agréables que de composer des discours académiques.»

Il lui adressera, en neuf ans, près de cinq cents lettres, qui sont aujourd'hui conservées à la bibliothèque de l'Institut de France ; une précieuse donation de Mme Raffalovitch qui, cependant, fera disparaître celles qu'elle avait écrites elle-même, prétextant qu'elles n'avaient aucun intérêt. Peut-être contenaient-elles des notes trop intimes. Il faut dire qu'elle lui écrivait à une adresse où il vivait seul, et où il décachetait lui-même son courrier ; tandis qu'il lui écrivait à son domicile, où d'autres personnes pouvaient lire ses lettres. De ce fait, il se devait de demeurer retenu. Il est vrai qu'on trouve, çà et là, quelques mots chaleureux. «Chez vous, chère Madame, il y a une harmonie complète, la beauté de l'âme correspond à la beauté du corps.» Mais de tels compliments n'étaient pas fréquents sous sa plume. Et jamais il ne l'appellera par son prénom ; jusqu'au bout, il continuera à lui donner du «chère Madame».

L'un des intérêts de cette correspondance, c'est qu'on y voit Claude Bernard s'exprimer librement sur des thèmes qu'il n'avait jamais l'occasion d'aborder en public. Par exemple sur la défaite de la France, en 1870, dans sa guerre contre la Prusse. Un événement qu'il vécut, à l'instar d'un grand nombre de ses compatriotes, comme une tragédie personnelle.

«Je ne me croyais pas destiné à être témoin de tous les malheurs de mon pays, qu'un odieux vainqueur peut maintenant parcourir sans obstacles, et avec insolence. C'en est fait, la France est en face d'un ennemi implacable dans la victoire, et qui, non content de la ruiner, veut la déshonorer.» Son désespoir est sans limite: «Lorsque le monstre germanique qui ose encore parler au nom de la civilisation aura lâché sa proie, après l'avoir ravagée, piétinée et démembrée, elle sera réellement morte. Dans le XXᵉ siècle, on dira: ici existait la France; là fut Paris…»

Ces propos excessifs semblent lui avoir valu les reproches de sa correspondante, puisqu'il se sentit obligé de lui dire, neuf jours plus tard: «Je vous demande pardon d'avoir exprimé dans ma dernière lettre des sentiments qui n'ont pas vibré à l'unisson des vôtres. D'ailleurs, brûlez ma lettre!» Est-ce son pessimisme qui avait déplu à Marie, ou bien sa rhétorique nationaliste? Peut-être les deux à la fois… Ce qui est certain, c'est qu'elle s'est bien gardée d'obéir à son injonction.

★ ★

★

On a du mal, aujourd'hui, à se mettre dans la peau de ceux qui furent témoins de « tous les malheurs » survenus en 1870. Tant de drames se sont produits depuis entre l'Allemagne et la France – ne seraient-ce que la Première puis la Seconde Guerre mondiale –, que nous voyons forcément ce conflit comme un épisode parmi d'autres dans la longue et sanglante confrontation entre ces deux grandes puissances de l'Europe continentale.

Pour Claude Bernard et ses contemporains, les choses n'étaient pas perçues ainsi. Traditionnellement, les adversaires contre lesquels s'étaient battues pendant des siècles les troupes royales, puis républicaines, puis impériales, étaient surtout l'Angleterre, l'Espagne, la Maison d'Autriche, les Pays-Bas, parfois le duché de Savoie ou quelque autre État italien. Pas l'Allemagne. Quand Richelieu envoyait des troupes outre-Rhin, c'était pour aider un prince allemand contre un autre prince allemand. Pendant des siècles, les Européens ont parlé des « querelles d'Allemands » avec des gestes de désolation et d'impuissance, comme ils parleront plus tard des conflits entre les peuples balkaniques.

L'Allemagne n'était pas une entité politique, mais un territoire morcelé en de nombreux États ; on y commerçait, on y intriguait, on y guerroyait beaucoup. C'était même, pour les puissances du continent, un réservoir de soldats, disposés à prêter leurs bras au plus offrant ; lorsque, durant l'enfance de Louis XIV, la Fronde s'était emparée de Paris, Mazarin avait emmené le roi hors de la capitale, qu'il était revenu assiéger avec une armée de mercenaires allemands.

Mais l'on n'a pas besoin de remonter aussi loin. Quand, en 1866, quatre ans seulement avant la guerre contre la France, la Prusse du chancelier Otto von Bismarck avait fait la guerre à l'Autriche et qu'elle l'avait écrasée à la bataille de Sadowa, beaucoup de Parisiens avaient célébré l'événement. «Ce soir, j'ai parcouru les boulevards, raconte le député de la Seine Alfred Darimon. Toutes les fenêtres sont pavoisées. On me dit que le faubourg Saint-Antoine a illuminé. La foule qui circule est énorme. Il semble vraiment que la France vient de remporter une grande victoire.»

Cela pour dire que la guerre de 1870 n'était pas un épisode de plus dans un conflit déjà ancien entre deux puissances rivales, mais l'irruption fracassante sur la scène européenne d'un nouvel acteur, porteur d'une aspiration nationale inassouvie, et dont les Français n'attendaient pas une telle hostilité à leur égard, ni une telle fougue; dès lors, il n'est pas étonnant qu'ils aient assimilé son comportement à la férocité d'un prédateur.

C'est seulement aujourd'hui, avec le recul de l'histoire, qu'on le sait avec certitude: l'affrontement commencé en juillet 1870 entre ces deux grandes nations européennes allait ensanglanter le continent et peser sur le destin de l'humanité entière pendant plusieurs générations.

L'un des aspects les plus traumatisants de cette «guerre inaugurale» fut la volonté de Bismarck de réaliser l'unité allemande au travers d'une confrontation victorieuse avec la France. Le succès de cette entreprise fut indéniablement fulgurant : Napoléon III dut capituler au bout d'un mois et demi ; le pays vaincu fut amputé de deux provinces qui allaient devenir emblématiques : l'Alsace et la Lorraine ; et l'Empire allemand fut proclamé dans les salons de Versailles – une humiliation inutile et excessive qui appellera, en retour, d'autres humiliations calamiteuses.

Dans sa correspondance, Claude Bernard ne décolère pas. « C'en est fait ! Une paix honteuse et désastreuse est signée. Voilà donc où la France en est réduite par l'incurie de l'Empire, l'ineptie de la République, et l'odieuse hypocrisie de la Prusse. » Pour se consoler, il prophétise que celle-ci « entre dans une phase qui la conduira fatalement à sa perte. »

Au bout de quelques mois, il revient néanmoins dans sa correspondance à de tout autres préoccupations : son vignoble du Beaujolais, ses expériences sur la culture des violettes, les épreuves d'un prochain livre que son éditeur lui demande de corriger, et plus que tout, son état physique. Il évoque constamment ses migraines, son extrême fatigue, sa constitution fragile, ses alitements, ses « entrailles » ; il donne l'impression d'être bien plus âgé qu'il ne l'est.

De fait, sa santé ne cesse de décliner. En janvier 1878, il griffonne, d'une écriture à peine lisible, sa toute dernière lettre. « Juste le 1er de l'an, j'ai été repris d'un accès épouvantable de rhumatisme abdominal. Je souffre horriblement… » Après, il n'écrira plus à sa confidente, sans doute parce qu'elle sera chez lui tous les jours. Quand il s'éteindra, le 10 février, c'est elle qui fera venir le sculpteur Eugène Guillaume, pour qu'il réalise son masque mortuaire.

★ ★
★

La disparition de Claude Bernard suscita un grand émoi en France. Le gouvernement décida d'organiser pour lui des funérailles nationales ; c'était la première fois qu'un savant était honoré de la sorte. Quatre mille personnes suivirent son cortège jusqu'à l'église Saint-Sulpice, puis jusqu'au cimetière du Père-Lachaise. Les orateurs qui se succédèrent à la tribune saluèrent en lui le fondateur de la médecine moderne. Tous s'étendirent sur son parcours exceptionnel, et certains d'entre eux mentionnèrent le fait que le destin qu'il avait eu était bien éloigné de celui dont il avait rêvé dans sa jeunesse, à savoir le théâtre et la littérature. De fait, jamais il n'était revenu vers ces premières passions.

Il allait cependant avoir, dans ces domaines, une influence ; on pourrait même dire un héritage. Quand Émile Zola publie, en 1880, son manifeste naturaliste, il l'intitule *Le Roman expérimental,* en expliquant, dès les premiers paragraphes : « Je n'aurai à faire ici qu'un travail d'adaptation, car la méthode expérimentale a été établie avec une force et une clarté merveilleuses par Claude Bernard, dans son *Introduction à l'étude de la médecine expérimentale.* Ce livre, d'un savant dont l'autorité est décisive, va me servir de base solide. Je trouverai là toute la question traitée, et je me bornerai, comme arguments irréfutables, à donner les citations qui me seront nécessaires. Ce ne sera donc qu'une compilation de textes ; car je compte, sur tous les points, me retrancher derrière Claude Bernard. Le plus souvent, il me suffira de remplacer le mot "médecin" par le mot "romancier", pour rendre ma pensée claire et lui apporter la rigueur d'une vérité scientifique.»

On ne saurait être plus explicite.

Le prestige du savant disparu était si grand dans le pays qu'un débat s'engagea au lendemain de sa mort autour de ses croyances religieuses. Pour les uns, il aurait toujours été agnostique ; pour les autres, il serait «retourné à la Foi» vers la fin de sa vie. Dans une France où la question des rapports entre l'État et l'Église déchaînait les passions, l'opinion du grand savant paraissait importante.

De tels débats ne sont jamais tranchés une fois pour toutes. Cependant, dans ce cas précis, la position du principal intéressé sur la question de fond a toujours été claire : s'il n'a jamais été hostile à la religion, et s'il a pu y chercher, comme tant d'autres, un certain réconfort à l'approche de la mort, il a toujours considéré qu'aucune doctrine religieuse ou philosophique ne devait se prononcer sur la vérité scientifique.

De ce fait, il renvoyait constamment dos à dos les deux camps rivaux : «Les uns ne veulent pas admettre que le cerveau soit l'organe de l'intelligence, parce qu'ils craignent d'être engagés par cette concession dans des doctrines matérialistes ; les autres, au contraire, se hâtent de placer arbitrairement l'intelligence dans une cellule nerveuse ronde ou fusiforme pour qu'on ne les taxe pas de spiritualisme. Quant à nous, nous ne nous préoccuperons pas de ces craintes. La physiologie doit, à l'exemple des sciences plus avancées, se dégager des entraves philosophiques qui gêneraient sa marche ; sa mission est de rechercher la vérité avec calme et confiance, son but de l'établir d'une manière impérissable sans avoir jamais à redouter la forme sous laquelle elle peut lui apparaître.»

Il ne se préoccupait pas des croyances intimes de ses contemporains, et il n'aimait pas qu'on s'occupât des siennes ; comme en témoignent ces lignes à la fois agacées et souriantes qu'il adressa à Marie Raffalovitch en 1873 : «Voilà qu'hier je reçois une épître d'un grand personnage qui, reprenant toutes mes phrases les unes après les autres, me prouve par A + B que je suis le plus croyant, le mieux pensant de tous les hommes et l'un des plus puissants soutiens de la religion. Je ne croyais pas en avoir tant dit, et je suis bien sûr de n'avoir rien pensé de tout cela.»

Trois mois après la mort de Claude Bernard, les membres de l'Académie française se réunirent pour désigner un nouveau titulaire pour le vingt-neuvième fauteuil.

Ils avaient été impressionnés par ses funérailles, ils étaient fiers de la gloire qui était la sienne, et qui rejaillissait sur la Compagnie tout entière. Ce qui les encouragea à élire, cette fois encore, une célébrité.

L'homme sur lequel se porta leur choix était l'un des penseurs les plus renommés en France, peut-être même dans le monde entier. Il était aussi l'un des plus controversés. C'est sans doute ce qui explique qu'il n'ait pas été élu plus tôt. Pour beaucoup de gens, il sentait le soufre. N'avait-il pas été surnommé, par le pape Pie IX en personne, «le blasphémateur européen»?

13

Celui qui a osé appeler Jésus « un homme »

Quand Ernest Renan vint prendre sa place parmi ses confrères, le jeudi 3 avril 1879, on se pressait, sous la Coupole, tant son discours était attendu. Et l'on ne fut pas déçu. S'il commença par la traditionnelle louange au fondateur, il le fit à sa manière.

« Messieurs,

« Ce grand cardinal de Richelieu, comme tous les hommes qui ont laissé dans l'histoire la marque de leur passage, se trouve avoir fondé bien des choses auxquelles il ne pensait guère, certaines même qu'il ne voulait qu'à demi. Je ne sais, par exemple, s'il se souciait beaucoup de ce que nous appelons aujourd'hui tolérance réciproque et liberté de penser. La déférence pour les idées contraires aux siennes n'était pas sa vertu dominante, et, quant à la liberté, on ne voit pas qu'elle eût sa place indiquée dans le plan de l'édifice qu'il bâtissait. Et pourtant, voici qu'à deux cent cinquante ans de distance, l'âpre fondateur de l'unité française se trouve, dans un sens très réel, avoir été le fauteur de principes qu'il eût peut-être vivement combattus, s'il les eût vus éclore de son vivant. Cette Compagnie, qui est après tout la plus durable de ses créations, qu'est-elle, Messieurs, si ce n'est une grande leçon de liberté, puisque ici toutes les opinions politiques, philosophiques, religieuses, littéraires, toutes les façons de comprendre la vie, tous les genres de talent, tous les mérites, s'assoient côte à côte avec un droit égal?»

Mais c'est un autre passage du discours qui allait faire sensation dans le contexte de l'époque. La défaite face à la Prusse était fraîche dans les mémoires ; de même que la perte de l'Alsace-Lorraine, qui maintenait vivant le désir de revanche. Cependant, les Français étaient en proie au doute. Eux qui, quelques décennies plus tôt, avec Napoléon Ier, avaient conquis la plus grande partie de l'Europe, annexé Hambourg et Brême, vassalisé la Bavière, le Wurtemberg, la Westphalie, la Saxe, et des dizaines d'autres États allemands, comment avaient-ils pu s'affaiblir à ce point ? Comment avaient-ils pu se laisser vaincre, et humilier ? Allaient-ils retrouver un jour la place qui avait été la leur, celle de la nation la plus glorieuse, en Europe et dans le reste du monde ? Ils s'efforçaient de croire encore en leur génie propre, mais ils n'étaient plus sûrs de rien.

Renan voulait leur redonner confiance. Et bien qu'il s'adressât à ses confrères, ce jour-là, c'est à la nation entière qu'il destinait ses propos.

«Vous vous inquiétez peu d'entendre annoncer pompeusement l'avènement de ce qu'on appelle une autre *culture*, qui saura se passer du talent. Vous vous défiez d'une *culture* qui ne rend l'homme ni plus aimable ni meilleur.» Il se garda bien de dire explicitement de quelle culture il s'agissait, mais tous ses auditeurs savaient pertinemment à qui il faisait allusion. «Une science pédantesque en sa solitude, une littérature sans gaieté, une politique maussade, une haute société sans éclat, une noblesse sans esprit, des gentilshommes sans politesse, de grands capitaines sans mots sonores, ne détrôneront pas, je crois, de sitôt le souvenir de cette vieille société française, si brillante, si polie, si jalouse de plaire. Quand une nation, par ce qu'elle appelle son sérieux et son application, aura produit ce que nous avons fait avec notre frivolité, des écrivains supérieurs à Pascal et à Voltaire, de meilleures têtes scientifiques que d'Alembert et Lavoisier, une noblesse mieux élevée que la nôtre au xviie et au xviiie siècle, des femmes plus charmantes que celles qui ont souri à notre philoso-phie, un élan plus extraordinaire que celui de notre Révolution, plus de facilité à embrasser les nobles chimères, plus de courage, plus de savoir-vivre... alors nous serons vaincus. Nous ne le sommes pas encore. Nous n'avons pas perdu l'audience du monde.»

Le propos était vigoureux, querelleur, offensif, et il fut ardemment applaudi. Mais ceux qui suivaient depuis longtemps le parcours de Renan, et qui étaient donc en mesure d'aller au-delà de l'apparence des choses, savaient que cette charge constituait, à la vérité, une contrition.

L'homme avait été, depuis toujours, un admirateur de l'Allemagne. En 1866, il s'était réjoui de voir les

Parisiens pavoiser à l'arrivée des nouvelles de la victoire prussienne sur l'Empire autrichien. «Ce qui a vaincu à Sadowa, avait-il écrit alors, c'est la science germanique, c'est la vertu germanique, c'est le protestantisme, c'est la philosophie, c'est Luther, c'est Kant, c'est Fichte, c'est Hegel!»

Même en septembre 1870, dans les jours qui ont suivi la défaite française de Sedan et la reddition de Napoléon III, Renan avait osé faire cette prédiction – généreuse, sans doute, mais insensée, et qu'on lui reprochera jusqu'après sa mort: «La réunion des forces allemandes dans la main de la Prusse n'est qu'un fait amené par une nécessité passagère. Le danger disparu, l'union disparaîtra, et l'Allemagne reviendra bientôt à ses instincts naturels… Or, l'Allemagne, livrée à son propre génie, sera une nation libérale, pacifique, démocratique même…»

Assez vite, cependant, il allait modifier son analyse. Principalement parce qu'il était déçu, et même meurtri, par l'attitude d'un certain nombre d'intellectuels d'outre-Rhin, dont il se sentait proche jusque-là, et qui semblaient soudain enivrés par la victoire de leur nation; tel le grand historien Theodor Mommsen qui, dans un article retentissant, justifia l'humiliation infligée à la France par le fait que la culture de ce pays était devenue «frivole», «dépravée» et «perverse»; ou tel le théologien libéral David Friedrich Strauss, qui était le plus proche ami allemand de Renan, et qui lui demandait à présent d'admettre que l'Alsace devait naturellement appartenir à l'Allemagne puisqu'elle parlait sa langue. Ce à quoi Renan rétorqua que seule importait la volonté des populations concernées. «Il est incontestable que, si on soumettait la question au peuple alsacien, une immense majorité se prononcerait pour rester unie à la France. Est-il digne de l'Allemagne de s'attacher de force une province rebelle, irritée, devenue irréconciliable?» Puis il ajouta ces paroles dont on ne pouvait deviner, de son temps, à quel point elles allaient se révéler visionnaires : «Notre politique, c'est la politique du droit des nations; la vôtre, c'est la politique des races : nous croyons que la nôtre vaut mieux. La division trop accusée de l'humanité en races, outre qu'elle repose sur une erreur scientifique, très peu de pays possédant une race vraiment pure, ne peut mener qu'à des guerres d'extermination...»

Lors de son discours sous la Coupole, Renan, qui avait déjà perdu ses illusions conciliatrices, éprouva le besoin de défendre la culture des siens et de répondre à ceux qui se permettaient de la dénigrer. Il le fit avec talent, avec esprit, avec panache. Mais jamais il ne se conformera à la rhétorique nationaliste de son époque; jamais il n'ira jusqu'à faire de «germanique» un adjectif infamant; jamais il ne voudra «jeter l'enfant avec l'eau du bain», pour reprendre une expression française probablement traduite de l'allemand. Il ne cessera de répéter : «Nos éloges sont sans repentance. Nous n'avons pas changé nos jugements sur Goethe ou Herder. Est-ce notre faute si, en restant fidèles à nos anciens jugements, nous nous trouvions dépaysés en présence de ce que l'on proclame maintenant comme un nouvel idéal ?»

Ce «nouvel idéal» ne se limitait pas à l'Allemagne. Dans toute l'Europe, et notamment en France, les nationalismes allaient se faire de plus en plus arrogants, assourdissants et simplificateurs. Renan n'a pas voulu se plier à leur logique raciale, ou même ethnique. Une nation, disait-il, «c'est une âme, un esprit, une famille spirituelle, résultant, dans le passé, de souvenirs, de sacrifices, de gloires, souvent de deuils et de regrets communs ; dans le présent, du désir de continuer à vivre ensemble. Ce qui constitue une nation, ce n'est pas de parler la même langue ou d'appartenir au même groupe ethnographique, c'est d'avoir fait ensemble de grandes choses dans le passé et de vouloir en faire encore dans l'avenir». Tout en se montrant fier des apports de sa propre nation, il n'a jamais cessé de rappeler ce qui, à ses yeux, demeurait l'essentiel : «L'homme n'appartient ni à sa langue ni à sa race : il n'appartient qu'à lui-même, car c'est un être libre, c'est un être moral.»

En 1880, il livra le fruit de sa réflexion sur les questions identitaires dans une conférence intitulée, justement : *Qu'est-ce qu'une nation ?* À la lecture de ce texte, on comprend pourquoi Renan a pu séduire. Sa clarté d'expression, la cohérence de sa pensée, son sens éthique, sa puissance d'argumentation font de lui le modèle de l'intellectuel qui va jusqu'au bout des choses, dans ses investigations comme dans ses engagements.

Cela dit, si son nom parvient, aujourd'hui encore, à

susciter chez certains de l'admiration, et chez d'autres une détestation tenace, ce n'est pas en raison de ses prises de position sur la nation, mais sur la religion; avec laquelle il a entretenu, tout au long de sa vie, les relations les plus paradoxales.

★ ★
★

Au cours de son adolescence, et jusqu'aux premières années de sa vie d'adulte, Renan s'était cru destiné à entrer dans les ordres. Rien, dans son itinéraire, ne laissait présager qu'il allait être dépeint, à l'âge de quarante ans, comme le plus grand ennemi du christianisme.

Il avait vu le jour à Tréguier, en Bretagne, au sein d'une famille bourgeoise relativement aisée, mais qui se trouvait, à sa naissance en 1823, dans une mauvaise passe. Son père, qui possédait une petite compagnie maritime, avait fait de mauvaises affaires, et il était au bord de la faillite. Il en était profondément déprimé, et un soir d'été on vint avertir la famille qu'il était tombé de son bateau en pleine mer; son corps inerte fut découvert sur une plage quelques jours plus tard. Ernest avait cinq ans. «À partir de ce moment, notre état fut la pauvreté», écrira-t-il.

Le père n'avait légué à ses héritiers que des dettes, auxquelles sa veuve se sentait incapable de faire face, et c'est leur fille, Henriette, âgée de dix-sept ans, qui prit les choses en main. Elle allait travailler toute sa vie pour remettre la famille à flot.

Elle essaya d'abord de fonder une école de filles à Tréguier, et quand elle n'y parvint pas, elle partit enseigner à Paris, puis fut engagée par des familles fortunées comme préceptrice. C'est elle qui prit des contacts pour faire venir son frère dans la capitale, et pour l'inscrire au séminaire Saint-Nicolas-du-Chardonnet, qui était l'une des meilleures institutions catholiques d'enseignement. Ernest avait quinze ans, et il n'eut aucun mal à faire ses preuves. Sa prodigieuse mémoire, sa compréhension approfondie des textes, sa capacité à se concentrer sur son travail pendant d'innombrables heures, faisaient de lui un élève modèle. Sa docilité également. Il ne se plaignait jamais, et ne commettait aucune des bêtises des jeunes de son âge. Il trouvait son plaisir dans les études, et tout semblait le destiner à devenir un prélat érudit. C'est certainement ce qu'espérait le directeur du séminaire, Mgr Félix Dupanloup – celui-là même dont on allait associer le nom à une chanson paillarde violemment anticléricale ayant pour refrain : «Ah! Ah! Ah oui vraiment, L'père Dupanloup est dégoûtant.» Contrairement à ces paroles, le personnage était parfaitement estimable, bien qu'intraitable sur tout ce qui se rapportait à la foi. Érudit, cultivé, habile, excellent orateur, il allait s'affirmer en France comme la grande figure ecclésiastique du moment. Renan aurait pu suivre une voie similaire. En toute logique, il aurait dû être ordonné prêtre, et se consacrer à la religion. S'il s'écarta de cette voie vers l'âge de vingt-trois ans, ce ne fut pas par crainte de la vie austère qu'elle lui promettait, mais, au contraire, pourrait-on dire, par excès de zèle. Et aussi par rigueur intellectuelle et morale.

En effet, s'étant plongé corps et âme dans l'étude de la Bible, il en vint à s'interroger sur l'authenticité de certains textes ; tel livre, attribué à Isaïe, lui paraissait manifestement avoir eu deux auteurs distincts ; tel autre, attribué à Daniel, lui semblait dater d'une époque différente de celle à laquelle la tradition le situait. Ces doutes ne suffisaient pas à remettre en question sa foi chrétienne, mais il se dit que, s'il voulait poursuivre ces recherches qui le passionnaient dans les meilleures conditions, il ne devait pas se mettre sous l'autorité d'un évêque ou du supérieur d'un ordre. Ce n'était pas, à ce stade, une révolte contre la religion, c'était la décision d'un savant soucieux de préserver sa liberté de recherche. Il renonça donc à se faire ordonner prêtre. C'est très exactement le 6 octobre 1845, racontera-t-il dans ses *Souvenirs d'enfance et de jeunesse*, qu'il décida d'ôter pour toujours sa soutane de séminariste ; il venait d'avoir une ultime discussion avec Mgr Dupanloup, auquel il avait fait part de ses interrogations et de ses doutes ; le prélat l'avait encouragé à partir, et lui avait même tendu un billet pour qu'il puisse subvenir à ses besoins dans les jours qui suivraient son retour à la vie civile.

Tout en continuant à s'intéresser à tout ce qui concerne la religion, et en particulier aux textes bibliques, il élargit considérablement le champ de ses études. Il se plongea dans la lecture des philosophes allemands – notamment Kant, Hegel et Herder ; il s'efforça de comprendre les découvertes scientifiques récentes, notamment celles de Darwin, et de réfléchir à leurs implications ; et il se passionna également pour les langues et les civilisations orientales. À vingt-cinq ans, il se classa premier à l'agrégation de philosophie, et obtint son doctorat, quatre ans plus tard, avec une thèse sur *Averroès et l'averroïsme*. Totalement dévoué à ses recherches, il se mit à écrire et à publier abondamment sur divers sujets – de *L'Origine du langage* aux *Systèmes comparés des langues sémitiques*, en passant par *L'Âme bretonne* ; ce qui lui valut d'entrer, dès l'âge de trente-quatre ans, à l'Académie des inscriptions et belles-lettres.

En 1860, il se rendit au Mont-Liban, chargé par Napoléon III d'une mission. Le pays venait de connaître les massacres communautaires les plus traumatisants de son histoire, et la France y avait dépêché un corps expéditionnaire pour rétablir la paix civile. En marge des troupes, on voulut envoyer, comme l'avait fait Bonaparte en Égypte à la fin du XVIIIe siècle, une équipe de savants chargés d'effectuer des fouilles. Le « Champollion » que l'on choisit fut Renan. Il ne s'agissait pas, cette fois, de déchiffrer l'écriture ancienne ; l'alphabet phénicien, ancêtre du grec et du latin, n'avait pas de secret pour les archéologues. Mais il n'y avait jamais eu de fouilles sérieuses, et le séjour d'un philologue érudit paraissait nécessaire. Lui-même se fixa un objectif plutôt modeste, celui de « dégager » un certain nombre de sites antiques, afin qu'ils puissent être pleinement étudiés dans une phase ultérieure.

Il fut accompagné dans sa mission par sa sœur; et aussi, pendant une partie du voyage, par sa femme, Cornélie Scheffer, qu'il avait épousée en 1856. Mais c'est la présence de la première qui allait donner à ce voyage sa dimension tragique: en septembre 1861, Ernest et Henriette furent saisis en même temps d'un violent accès de paludisme; lorsqu'il émergea de sa torpeur, on lui apprit qu'elle était morte. Elle avait cinquante ans, et elle ne s'était jamais mariée, sans doute pour ne pas s'éloigner de son frère bien-aimé.

Celui-ci écrira, dès son retour en France, un récit intitulé *Ma sœur Henriette* afin de lui rendre hommage. «Elle lisait en épreuves tout ce que j'écrivais, et sa précieuse censure allait chercher avec une délicatesse infinie des négligences dont je ne m'étais pas aperçu jusque-là... Elle était si bien au courant de mon ordre de pensée qu'elle devançait presque toujours ce que j'allais dire, l'idée éclosant chez elle et chez moi au même instant.»

Le passage le plus poignant de cette courte biographie affectueuse, c'est lorsque l'auteur rapporte la réaction d'Henriette le jour où il lui annonça sa décision de se marier. Soudain, la sœur dévouée et aimante entra dans une violente crise de jalousie. «Tout ce que l'amour peut avoir d'orages, nous le traversâmes.» Elle en arriva à menacer, à mots couverts, de se suicider. Terrifié, Ernest s'en alla dire à sa fiancée qu'il renonçait à l'épouser. Puis il revint communiquer sa décision à sa sœur. Celle-ci ne réagit pas, mais le lendemain, de très bonne heure, elle courait chez Cornélie pour lui dire qu'il n'était pas question de laisser son frère revenir sur son engagement. La cérémonie eut donc lieu ; puis les nouveaux mariés partirent pour leur voyage de noces dans la vallée de la Loire, d'où Ernest écrivit à Henriette : «Puissé-je te convaincre enfin que rien, absolument rien n'est changé entre nous, que tu es toujours mon cher idéal, le principe de la noblesse et de la beauté de ma vie ! Que tu méconnaîtrais ma nature, si tu croyais qu'une affection chez moi en chasse une autre et que celle que je te porte est susceptible d'être diminuée ou remplacée !»

Leur séjour commun dans la montagne libanaise allait être, en quelque sorte, *leur* «voyage de noces» – un épilogue tragique pour l'émouvante idylle du petit frère et de la grande sœur. «Le sommeil de la fièvre nous prit à la même heure ; je me réveillai seul !»

Passé les premiers moments d'abattement, il annonça qu'il allait construire pour Henriette un mausolée. Mais les notables maronites qui les logeaient dans les environs de l'antique Byblos proposèrent de la garder dans le caveau de leur famille, près de l'église. Et il finit par accepter, pour ne pas les froisser, dira-t-il. «Du reste, je veux qu'un jour nous soyons réunis. Tout cela n'est à mes yeux que provisoire. Mais qui sait où elle viendra me rejoindre, et si ce n'est pas moi qui viendrai la retrouver ?»

★ ★
★

Dès son retour en France, Renan recevait une lettre de la main de Napoléon III. « En apprenant le malheur qui vous a frappé, je me suis reproché d'avoir encouragé votre dévouement à la science en facilitant un voyage entouré de dangers et qui devait se terminer si cruellement pour vous. » Il l'invitait à venir le voir pour qu'il puisse lui adresser ses condoléances de vive voix, et entendre de sa bouche les résultats de sa mission. Renan ira effectivement le rencontrer à Compiègne en novembre 1861.

Peu de temps après, il obtenait la chaire d'hébreu au Collège de France – une consécration. À trente-neuf ans, il était déjà un personnage renommé, dont nul ne contestait le savoir ; cependant, les opposants au régime l'accusèrent de s'être « vendu », en acceptant d'abord la mission au Mont-Liban, puis en rendant visite à l'empereur ; et ils se promirent de perturber son cours. « C'est demain que je fais ma première leçon qui sera, dit-on, une bataille », écrivit-il à Gustave Flaubert le 21 février 1862. Ce fut, effectivement, une bataille, une longue bataille ; qui commença de la manière que chacun prévoyait, mais qui allait très vite prendre une tout autre tournure.

« À une heure, constatera l'administrateur du Collège dans un rapport au ministre de l'Instruction publique, il y avait déjà près de deux cents personnes qui faisaient queue à la porte de l'amphithéâtre de médecine que M. Claude Bernard avait prêté pour ce jour-là à M. Ernest Renan. À deux heures, on ouvre les portes de la salle ; la foule s'y précipite et, au bout de quelques minutes, elle est complètement remplie. La majorité crie : "Vive Renan !" À gauche : "À bas Renan ! Il ne parlera pas !" Le plus grand nombre répond : "Il parlera !" Confusion, cris frénétiques. Les rédacteurs du journal *Le Travail* répètent les cris qu'on avait entendus avant d'entrer : "À bas le missionnaire de Compiègne ! À bas Renan ! À bas les calotins de toutes les religions !" Lorsque M. Renan entra dans la salle, il fut accueilli par de vives acclamations partant de la majorité des auditeurs, mais le côté gauche, où se trouvaient les rédacteurs du *Travail*, fit entendre des huées insultantes et lui lança une quantité de gros sous. Malgré de fréquentes interruptions, réprimées sur-le-champ par des applaudissements passionnés et quelquefois d'une violence sans exemple, le professeur a pu lire tout son discours… »

Celui-ci, intitulé *De la part des peuples sémitiques dans l'histoire de la civilisation*, contenait un passage rédigé ainsi : « L'événement moral le plus extraordinaire dont l'histoire ait gardé le souvenir se passa en Galilée. Un homme incomparable, – si grand que, bien qu'ici tout doive être jugé au point de vue de la science positive, je ne voudrais pas contredire ceux qui, frappés du caractère exceptionnel de son œuvre, l'appellent Dieu, – opéra une réforme du judaïsme, réforme si profonde, si individuelle, que ce fut à vrai dire une création de toutes pièces. »

Aujourd'hui, rien ne choque dans ces quelques lignes. Mais à l'époque, le fait de parler de Jésus comme d'un « homme », même « incomparable », ne pouvait être toléré. On sent bien, à la lecture, que l'auteur s'était efforcé d'écrire une phrase soigneusement équilibrée, voire contorsionnée. Peine perdue. En un instant, il s'était valu, et pour toujours, la haine tenace des milieux cléricaux, alors qu'il venait d'être conspué par les anticléricaux, et assimilé aux «calotins». Quatre jours après sa conférence, un arrêté ministériel suspendait son cours, vu que «M. Renan a exposé des doctrines qui blessent profondément les croyances chrétiennes, et qui peuvent entraîner des agitations regrettables».

Le jour même, le professeur recevait, de la main de Napoléon III, ce qu'on pourrait appeler «un mot d'excuse»: «Monsieur, vous connaissez tout mon intérêt pour vous et toute mon estime pour vos profondes connaissances. Aussi est-ce avec regret que je me vois forcé d'approuver la suspension momentanée de votre cours. En effet, vous le comprendrez, il est impossible que l'État tolère dans une chaire d'enseignement public la dénégation de l'une des bases fondamentales de la religion chrétienne. Je déplore vivement ce contretemps, mais vous vous entendrez, je l'espère, avec le ministre de l'Instruction publique et il pourra bientôt autoriser la réouverture de votre cours.»

Même dans ses interdictions et ses intolérances, l'époque demeurait, il faut bien l'admettre, hautement civilisée!

En dépit des vœux pieux formulés par l'empereur, «l'affaire Renan» n'en était qu'à son préambule. Loin de chercher une quelconque réconciliation avec son ministre de tutelle, l'enseignant suspendu profita de son temps libre pour mettre la dernière main à un manuscrit sur lequel il avait commencé à travailler lors de son séjour avec Henriette dans la montagne libanaise. «L'énorme chaleur qu'il faisait sur toute la côte et l'état de fatigue où nous étions me décidèrent à aller fixer notre résidence à Ghazir, point situé à une grande hauteur au-dessus de la mer, au fond de la baie de Kesrouan. Nous y trouvâmes une petite maison, avec une jolie treille. Là, nous prîmes quelques jours d'un bien doux repos. Je résolus d'écrire toutes les idées qui, depuis mon séjour dans le pays de Tyr et mon voyage de Palestine, germaient dans mon esprit sur la vie de Jésus.»

Ceux qui avaient été scandalisés par les quelques mots prononcés au Collège de France allaient l'être cent fois plus lorsqu'il publiera cette singulière biographie. Là encore, l'attitude de Renan n'était en aucune manière un dénigrement du personnage vénéré ; mais le seul fait de parler de Jésus comme d'un homme, de le situer dans l'histoire religieuse, intellectuelle et politique de son temps, apparaissait alors comme un défi intolérable et sacrilège au dogme chrétien de la divinité du Christ.

Lorsque la rumeur de la sortie imminente d'un livre intitulé *Vie de Jésus* se répandit à Paris, le 24 juin 1863, une foule considérable s'assembla devant le 15, boulevard des Italiens, siège de la Librairie Nouvelle récemment rachetée par l'éditeur Michel Lévy et son frère Calmann. Des journalistes, des instituteurs, des politiciens et des femmes du monde s'arrachèrent les premiers exemplaires ; les dix mille copies de l'édition initiale furent écoulées en quelques jours ; le tirage allait bientôt dépasser les quatre cent mille – du jamais vu ! Partout en Europe, l'ouvrage fut traduit, et connut une large diffusion ; là où il fut interdit, il circula frénétiquement sous le manteau.

L'hostilité que suscita Renan fut à la mesure de son succès. Son cours au Collège de France, jusque-là suspendu, fut cette fois supprimé pour de bon. Dans les milieux catholiques, et aussi dans les milieux protestants, on se montra outré. D'innombrables pamphlets, sermons, articles de presse s'acharnèrent sur l'auteur par lequel venait d'arriver le scandale. Le pape lui-même félicita ceux qui se dressaient contre lui ; c'est alors qu'il l'affubla de ce titre qui ne sera jamais oublié – «le blasphémateur européen» ; titre qui, pour certains, le marquait à jamais du sceau de l'infamie, et pour d'autres consacrait sa gloire.

Aujourd'hui encore, pour la grande majorité de ceux qui connaissent son nom, Ernest Renan demeure, avant tout, l'auteur sulfureux de la *Vie de Jésus*, et l'ennemi juré du christianisme.

Pourtant, avec le recul du temps, avec tout ce qui s'est passé depuis en Occident comme dans le reste du monde, on est en droit de se demander si le treizième occupant du fauteuil n'a pas été, bien au contraire, une chance, et même, pourrait-on dire, une bénédiction, pour la foi dont il s'est écarté.

En soumettant les textes sacrés au crible d'une critique rigoureuse, il a contraint les croyants à se détacher d'une lecture trop littérale – lecture confortable, mais stérile ; et, à terme, périlleuse. Ceux qui parviennent à préserver leurs textes sacrés de toute critique historique ou scientifique ne font que conduire leur civilisation vers le dessèchement et la rigidité ; il a fallu que l'Église soit débarrassée, contre son gré, de ses propres rigidités mentales, pour qu'en Occident, la foi puisse commencer à coexister avec la science, le progrès, la liberté.

Bien entendu, Renan ne fut pas le seul à effectuer cette subversion salvatrice. Toute une cohorte de chercheurs, de penseurs, dans tous les domaines, et appartenant à toutes les croyances, à toutes les écoles de pensée, ont contribué à ce mouvement. Ce qui s'est passé sur le vingt-neuvième fauteuil de l'Académie française représente, à cet égard, une illustration éloquente : deux savants de stature mondiale, qui avaient des savoirs différents, des compétences différentes, des convictions différentes, ont opéré dans les esprits une révolution comparable. Renan faisait peur à ceux qui pensaient que si l'on situait Jésus dans le terreau historique où il a émergé, il ne resterait rien de la religion ; Claude Bernard faisait peur à ceux qui pensaient qu'en ramenant la vie à des phénomènes chimiques et physiques, on priverait l'homme de sa dimension spirituelle. Une fois passé le moment de frayeur, on s'est rendu compte que le fonctionnement du corps, et même celui du cerveau, n'affectait ni positivement ni négativement les croyances religieuses. À vrai dire, l'idée même qu'une découverte scientifique – en biologie, en philologie, en astrophysique, ou dans n'importe quel autre domaine – puisse confirmer ou infirmer les dogmes religieux paraît aujourd'hui insensée. Le besoin de spiritualité est inséparable de la condition humaine ; de ce fait, le Dieu du *pourquoi* ne disparaîtra jamais. À l'inverse, le Dieu du *comment,* c'est-à-dire l'explication divine de tout ce que nous ne comprenons pas, est destiné à s'estomper à mesure que reculera notre ignorance. On peut donc légitimement se demander si les écrits sulfureux de Renan n'auraient pas dû lui valoir la gratitude de l'Église plutôt que de lui attirer ses foudres.

De celles-ci, d'ailleurs, la carrière du « blasphémateur » ne souffrira pas beaucoup ; ou, plus exactement, elle en bénéficiera autant qu'elle en pâtira. Les nombreux ouvrages qu'il publiera par la suite n'auront certes pas le même succès que son « best-seller », mais ils ne passeront pas inaperçus. Ni son *Histoire du peuple d'Israël,* ni son essai sur *L'Islamisme et la science,* ni ses *Souvenirs d'enfance et de jeunesse,* ni sa volumineuse *Histoire des origines du christianisme,* dont la *Vie de Jésus* n'était que le premier volet ; même sa brève biographie de sa sœur, qu'il avait d'abord fait imprimer en cent exemplaires pour les proches, connaîtra de nombreuses réimpressions. En tant qu'auteur, il était comblé.

En tant qu'enseignant également. Il reviendra triomphalement au Collège de France dès la chute du Second Empire. Ce qui est assez paradoxal quand on connaît les relations courtoises qu'il entretenait avec Napoléon III. Mais ce dernier s'efforçait d'apparaître comme le protecteur de la religion catholique, et le jour où il dut capituler à Sedan face aux armées prussiennes, puis abdiquer et partir en exil, les partisans d'une stricte séparation entre l'État et l'Église en furent confortés ; et Renan était pour eux un héros.

La stature qu'il avait acquise aurait dû lui ouvrir aussitôt les portes de l'Académie française. Mais il y avait sur son chemin un obstacle de taille : Mgr Dupanloup, son ancien professeur, devenu l'un de ses pires censeurs ; élu en 1854, il était considéré, au sein de la Compagnie, comme le chef de file des ecclésiastiques. On voulait éviter de l'offenser, et l'on attendit donc qu'il soit loin de Paris, et fort malade, pour « faire passer » son ancien pupille. Le jour où celui-ci fut reçu solennellement sous la Coupole, Dupanloup était déjà dans sa tombe.

Renan disparut, quant à lui, en 1892, à soixante-neuf ans – vénéré, haï, le verbe toujours gracieux, le regard malicieux et le corps obèse. Par décision gouvernementale, on organisa pour lui, comme ce fut le cas pour son prédécesseur, des funérailles nationales, mais sans la cérémonie religieuse.

Quelques années plus tard, le gouvernement décida d'ériger un monument à sa mémoire dans sa ville natale de Tréguier. Une sculpture fut exécutée, où se côtoient le réalisme et l'allégorie ; Renan y est représenté dans sa vieillesse, affalé sur un banc, appuyé sur une canne, corpulent, la tête penchée sur le côté dans une posture de réflexion ou peut-être d'essoufflement ; au-dessus de lui, debout, majestueuse et svelte, la déesse Athéna, symbole de la pensée libre.

Élever de tels monuments était en ce temps-là une pratique courante pour honorer les personnages illustres. Mais l'hommage au « blasphémateur » ne pouvait se passer sans heurts. Des catholiques bretons se montrèrent offensés par cette statue, érigée qui plus est à deux pas de la cathédrale. On vit là une provocation délibérée, et on se promit d'empêcher l'inauguration officielle.

Celle-ci était fixée au 13 septembre 1903, en présence du chef du gouvernement. Émile Combes était lui-même un ancien séminariste ; après avoir quitté la soutane, il était devenu l'un des principaux dirigeants du Parti radical, un mouvement politique qui prônait résolument la laïcité et la séparation de l'Église et de l'État. Il fit le déplacement en compagnie de quelques autres responsables politiques, et d'un certain nombre de personnalités du monde intellectuel, dont Anatole France, futur prix Nobel de littérature, que beaucoup considéraient comme le fils spirituel de Renan. Des troupes furent déployées dans la ville pour éviter que la cérémonie fût perturbée. Les opposants avaient réuni, de leur part, une foule immense aux abords de la cathédrale, qui hurlait : « À bas la défroque ! » ; les partisans de Combes répondant : « À bas la calotte ! » Il y eut des bousculades, des échauffourées, des échanges de coups, des arrestations tumultueuses ; mais, fort heureusement, aucun mort, aucun blessé grave.

Finalement, l'inauguration put se dérouler comme prévu : le monument fut dévoilé, les personnalités prononcèrent leurs discours, puis reprirent la route de Paris sans encombre. Néanmoins, les milieux catholiques n'avaient pas l'intention d'en rester là. Une souscription fut lancée pour ériger un « Calvaire de la Protestation », qui fut inauguré huit mois plus tard en présence de plusieurs milliers de fidèles.

Aujourd'hui encore, on peut voir à Tréguier deux monuments opposés, l'un pour rendre hommage à Renan, l'autre pour le narguer. Sur le premier on peut lire cette maxime de l'enfant du pays : « La foi qu'on a eue ne doit jamais être une chaîne » ; sur l'autre, on peut lire cette phrase qu'un centurion romain aurait prononcée aux pieds de Jésus crucifié : « Cet homme était vraiment le Fils de Dieu. »

14

Celui qui n'aimait pas son prédécesseur

Le nouveau titulaire du vingt-neuvième fauteuil fut élu à l'Académie le jeudi 23 mars 1893 ; quatre jours plus tard, il devenait président du Sénat, fonction qu'il occupait toujours lorsqu'il fut reçu solennellement sous la Coupole et qu'il dut faire l'éloge de son prédécesseur. «Ce diable de discours n'est pas sans me préoccuper ; il n'est pas facile à trousser, avait-il confié à l'une de ses amies. Il est rendu plus difficile encore par la nécessité de ne pas blesser les adorateurs de Renan, à commencer par sa veuve, et par l'impossibilité où je serais de mentir à ma propre pensée, qui n'est pas tout à fait de l'adoration...»

Le dernier bout de phrase est un euphémisme ; la vérité, c'est que le nouvel élu haïssait Renan, et qu'il n'a pas pu empêcher ses sentiments de transparaître dans son discours. Tout en demeurant formellement dans les limites de la civilité, il allait s'employer à démolir l'illustre défunt – sa personnalité, son œuvre, ses idées – avec une sévérité rarement entendue dans cette enceinte.

Bien des gens, on le sait, détestaient l'auteur de la

Vie de Jésus. Mais son successeur n'était absolument pas de ceux que cet ouvrage avait pu choquer. Paul-Amand Challemel-Lacour – que ses amis comme ses adversaires appelaient simplement «Challemel» – était un politicien de gauche, résolument républicain, laïc et anticlérical. S'il reprocha effectivement au penseur iconoclaste d'avoir touché à des choses sacrées, ce n'est pas de la divinité du Christ qu'il s'agissait.

«Comme s'il eût pris plaisir à narguer le préjugé le plus cher au cœur de la France, M. Renan dénonçait sans relâche la Révolution française. Il ne s'arrêtait pas à la tâche oiseuse d'en flétrir une fois de plus les excès, il tournait en dérision ses principes, il réprouvait également ses destructions et ses créations, il aimait à la rabaisser en la réduisant aux proportions d'un petit fait gaulois. Ces idées, il n'en est jamais revenu : il les a exprimées trop souvent pour qu'elles ne fussent pas chez lui indestructibles. C'est, j'en suis sûr, avec le sourire que vous lui avez connu qu'il se donnait à lui-même ce démenti : "J'ai dit trop de mal de la Révolution ; c'est peut-être ce que nous avons fait de mieux, puisque le monde en est si jaloux."»

Phrase après phrase, le curieux éloge de Challemel à son prédécesseur finit par prendre des allures de réquisitoire. Il parla de «son aversion pour la démocratie», de son «impassibilité de sphinx en possession d'un secret divin», de «cet accent de haute ironie auquel il ne renonce presque jamais», de «son admiration un peu naïve pour tout ce qui est allemand» alors que «la tradition française l'importunait un peu». D'après son successeur, «M. Renan ne faisait nul cas de la littérature, ni du talent littéraire»; ses opinions politiques tenaient en une formule simple : «la restauration du passé»; «son éducation cléricale lui avait inculqué le sentiment que cette société, depuis longtemps sortie de l'ordre, asservie maintenant à des convoitises vulgaires, méritait peu d'intérêt»; il rêvait de voir l'humanité entière «sacrifiée à une oligarchie de penseurs»; il était «habile à revêtir de formes religieuses les idées les plus étranges», derrière lesquelles se dissimulait, quand on y regardait de plus près, «la conception lugubre d'un monde dépourvu de sens».

Pour comprendre les raisons d'un tel déchaînement, il faudrait remonter à cette séance houleuse au Collège de France, en février 1862, où Renan, fraîchement revenu de sa mission au Mont-Liban, avait été abondamment hué par ceux qui l'accusaient de s'être «vendu» au régime impérial. Si Challemel se trouvait dans la salle, ce jour-là, il se serait associé au chahut. Il appartenait, en effet, à la frange la plus farouchement hostile à Napoléon III; il voyait en celui-ci un tyran, et en ceux qui pactisaient avec lui, notamment parmi les universitaires, des traîtres à la cause républicaine.

L'opinion négative qu'il s'était faite de Renan datait de cette époque-là, et rien n'était venu la rectifier au cours des trente années suivantes. Sans doute prit-il soin d'inclure dans son discours sous la Coupole une flopée de mots louangeurs à l'adresse de son prédécesseur – «grand esprit», «brillant», «originalité», «talent», «génie», «chef-d'œuvre»; mais personne n'en fut dupe. Passé les cinq premières minutes, toute l'assistance, pas seulement la veuve de Renan et ses «adorateurs», avait compris que ce qu'on était en train d'entendre n'était pas du tout un éloge.

L'Académie qui, conformément à la tradition, avait pris connaissance du texte dans une séance privée la semaine précédente, se devait d'apporter une réponse. Elle le fit par la voix de l'éminent latiniste Gaston Boissier. Professeur au Collège de France, il avait été désigné, dès l'élection de Challemel, pour «le recevoir», c'est-à-dire, dans le vocabulaire de la Compagnie, pour répondre à son discours de réception. D'ordinaire, le nouvel élu est censé remercier ses confrères de l'avoir choisi; saluer en passant le cardinal-fondateur; puis consacrer l'essentiel de son propos à l'éloge de celui auquel il a succédé. L'auteur de la réponse est censé, quant à lui, retracer l'itinéraire de l'homme qu'il accueille.

Mais ce jour-là, les choses ne pouvaient se dérouler comme de coutume. Challemel s'étant écarté de son rôle, Boissier était contraint de s'écarter du sien, afin de corriger le portrait qui venait d'être brossé de son confrère disparu. «Quelle que soit votre admiration pour cet esprit éblouissant, vous avez fait des réserves. C'est bien ainsi qu'il aurait souhaité qu'on parlât de lui: un panégyrique banal et sans sincérité n'était pas pour lui convenir. Je me permettrai pourtant, Monsieur, d'ajouter ou même de changer quelques traits à la peinture que vous venez de nous faire.» Et il entreprit d'énumérer les qualités humaines de Renan : son sens de l'amitié, son courage intellectuel, son humour subtil, sa gaieté en toutes circonstances. Et surtout sa magnanimité. Jamais il ne s'abaissait à répondre aux «insulteurs», «jamais leurs outrages n'ont altéré sa sérénité», «personne n'a pratiqué mieux que lui la grande vertu chrétienne, le pardon des offenses».

Tout en apportant ces quelques «correctifs» à l'image du défunt, Boissier entreprit de présenter à l'auditoire son remplaçant, évoquant son itinéraire, ses études, ses écrits, les combats qu'il avait menés, les fonctions qu'il avait occupées ; le tout avec courtoisie, même s'il ne résista pas à l'envie de lui lancer quelques piques. Comme lorsqu'il évoqua le temps où Challemel militait dans la presse contre le régime de Napoléon III. «Vous attaquiez l'Empire avec une vigueur et une audace qui surprennent un peu quand on songe que vos amis se plaignaient de vivre sous un gouvernement tyrannique. On se demande, en vérité, ce qu'ils auraient dit de plus s'ils avaient joui, comme ils le réclamaient, de la liberté de tout dire.»

L'observation était judicieuse, mais pas bien méchante pour le nouveau membre. La suivante était plus grinçante. «L'Académie française a toujours fait une large place aux hommes d'État : c'est une tradition qui remonte à ses origines. Votre illustre prédécesseur avait même à ce propos toute une théorie qu'il nous exposait avec sa verve ordinaire ; il trouvait très naturel que l'Académie, comme les prytanées des cités antiques, recueillît les débris des régimes qui ont tour à tour gouverné la France. Ces anciens ministres, ces orateurs fatigués, ces diplomates au repos, auxquels elle ouvre un asile honorable, M. Renan aimait à les imaginer un peu désabusés de la vie, revenus de leurs espérances, guéris de leurs ambitions, parfaitement heureux de jouir de cette paix sereine qu'ils n'ont guère connue. Il se les représentait causant tranquillement ensemble, sans rancune et sans regrets… »

Challemel, qui se trouvait être, justement, un ancien ministre, un orateur renommé et un diplomate au repos, n'aura probablement pas apprécié l'emploi du mot « débris »… Le message de la Compagnie était, en tout cas, fort clair pour ce « novice » à la barbe grise qui venait d'entrer sous son toit chargé de ses vieilles rancœurs : il serait bien inspiré de laisser celles-ci au vestiaire, pour retrouver la sérénité et gagner l'amitié de ses pairs.

L'assaut de Challemel contre son prédécesseur peut être jugé excessif, déplacé et inélégant ; mais il rendait compte d'une différence d'opinion qu'un orateur rigoureux et éloquent pouvait légitimement exposer devant un auditoire de lettrés. D'autant que ce qui opposait les deux hommes n'avait rien de mesquin, rien d'inavouable, rien même de personnel.

Bien que l'un d'eux se fût retrouvé héritier de l'autre, ils appartenaient pratiquement à la même génération.

Renan s'était classé premier au concours d'agrégation de philosophie en 1848 ; Challemel s'était classé premier à ce même concours en 1849. La coïncidence est significative, et les dates ne sont pas anodines.

L'Europe connaissait, à ce moment de son histoire, une vague révolutionnaire sans précédent. Surnommée le « printemps des peuples », elle avait touché de nombreux pays – les États italiens, les États allemands, l'Autriche et la Hongrie, la Pologne, et bien d'autres ; même la Suisse, en ces temps troubles, avait connu une guerre civile ! Mais c'est en France que le bouleversement avait été le plus significatif : en février 1848, après trois journées d'émeutes sanglantes dans les rues de Paris, le roi Louis-Philippe avait dû abdiquer et la IIᵉ République avait été proclamée. On organisa bientôt des élections au suffrage universel, qui furent remportées haut la main par Louis-Napoléon Bonaparte. Le neveu de Napoléon Iᵉʳ devenait ainsi, par la voie des urnes, le premier homme dans l'histoire de France – et, en ce temps-là, le seul en Europe – à porter le titre de « président de la République ».

Les espoirs étaient immenses, dans le pays comme dans le reste du continent. Et la frustration fut tout aussi immense quand ce président, trois ans après son élection triomphale, fomenta lui-même un coup d'État, puis abolit la république pour se proclamer empereur à l'imitation de son oncle, prenant le nom de Napoléon III. Même ceux qui, tel Victor Hugo, vénéraient le souvenir de l'épopée napoléonienne étaient outrés.

Leur fureur ne devait jamais s'apaiser. Le Second Empire eut beau multiplier les gestes d'ouverture et d'apaisement, élaborer des réformes utiles et accomplir des travaux remarquables – tels ceux du baron Haussmann dans la capitale... Peine perdue! Rien ne pouvait effacer son crime fondateur : l'étranglement de la République.

La grande secousse révolutionnaire associée dans les mémoires à l'année 1848 allait peser sur le destin de l'Europe et du monde. C'est de cette époque que date la montée inexorable des nationalismes ; c'est aussi en 1848 que Marx et Engels publièrent leur *Manifeste du parti communiste*. Même s'il est hasardeux, en histoire, d'assigner aux événements une origine trop précise, il n'est pas déraisonnable d'affirmer que bien des guerres et des révolutions survenues dans la seconde moitié du XIXᵉ siècle, puis tout au long du XXᵉ, trouvent leurs sources dans le bouillonnement de cette année-là.

Les jeunes et brillants agrégés de philosophie qu'étaient alors Renan et Challemel réagirent très différemment à ce qui se déroulait autour d'eux. Le premier ne fit que contempler les événements avec placidité, indifférence, quasiment avec méfiance, se gardant bien de s'y impliquer intellectuellement ou affectivement, préférant poursuivre tranquillement ses recherches sur Averroès et sur les textes bibliques. À ses yeux, les seules révolutions qui comptaient, c'étaient celles de Darwin, de Newton, de Copernic, voire de Luther ; ce qui suscitait chez lui une vraie passion, c'était «sa»

216

révolution, celle qu'il allait lui-même déclencher un jour en publiant sa *Vie de Jésus*. L'agitation dans la rue, les mouvements de foule, les renversements de régime ne l'enthousiasmaient pas ; ils l'incommodaient, plutôt, et l'inquiétaient. Il était, par conviction autant que par tempérament, attaché à la raison et à l'ordre ; seul son conflit avec l'Église l'avait fait passer, aux yeux d'une France en proie à l'anticléricalisme, pour une figure emblématique de la gauche.

C'est précisément ce malentendu que son successeur avait voulu dissiper dans son discours sous la Coupole. Il estimait de son devoir de rappeler à l'auditoire que Renan s'était toujours méfié de la Révolution française, comme de toutes les révolutions, comme de tous les mouvements populaires.

Challemel avait réagi, quant à lui, d'une tout autre manière aux événements de 1848. Il s'était jeté à corps perdu dans la bataille pour la République, contre la tyrannie, et il en avait subi les conséquences.

À la fin de ses études à l'École normale, il avait été nommé professeur de philosophie au lycée de Pau, puis à celui de Limoges – ce qui était le cursus habituel pour un agrégé. Mais en apprenant que le président de la République venait de fomenter un coup d'État pour s'arroger les pleins pouvoirs, il était entré, à l'instant même, en rébellion. Il y a, aux Archives nationales, un rapport de l'inspecteur général qui accuse le jeune enseignant d'avoir profité de son influence sur ses élèves pour les appeler à prendre les armes ; il parle de lui comme d'un «socialiste ardent, se faisant remarquer par la violence de ses propos». Le recteur de l'académie dont dépendait son lycée chercha cependant à le sauver. Son propre rapport est d'une autre tonalité; tout en admettant que son subordonné avait commis des «imprudences», il le décrit comme un professeur «d'une grande capacité et d'une imagination ardente», et qui «aspire à un idéal»; de son point de vue, «il y aurait injustice à le confondre avec ces hommes conjurés contre la société et prêts à la déchirer».

Challemel fut suspendu – ce qui était la sanction la plus clémente. Mais aussitôt, il se rendit à Paris, où il participa à un rassemblement d'opposants; il fut alors appréhendé par la police, incarcéré pendant quelques semaines, puis expulsé du pays.

Pendant sept ans et demi, il dut errer entre la Belgique, l'Allemagne, l'Italie et la Suisse. Pour subvenir à ses besoins, il donnait des cours, il faisait des traductions, il écrivait des articles pour les journaux. À Francfort, il réussit à rencontrer longuement le philosophe Arthur Schopenhauer, auquel il consacra un long article dans la *Revue des Deux Mondes*. Il ne revint en France qu'en 1859, à la faveur d'une amnistie; et bien décidé à reprendre ses activités militantes.

C'est dans le feu de ce combat qu'il rencontra l'homme qui allait devenir son mentor: Léon Gambetta. «Mentor» n'est peut-être pas le mot adéquat, vu que celui-ci était le plus jeune des deux. Mais c'était un remarquable meneur d'hommes, et son aîné n'hésita pas à se mettre dans son sillage. Ensemble, ils fondèrent successivement deux journaux situés à gauche: la *Revue politique*, puis *La République française*. Challemel se voulait théoricien et polémiste; c'est Gambetta qui le poussa, en quelque sorte, dans l'arène. Le futur académicien y alla en maugréant; et jusqu'à la fin de sa vie, il ne cessa de maudire la politique qui l'avait détourné de sa «vraie vocation» de philosophe et d'écrivain. Ce n'était qu'une posture. Sans doute était-il entré dans cette carrière à son corps défendant; mais il avait pris goût au jeu et aux honneurs, et il n'avait plus voulu y renoncer.

Y a-t-il laissé sa marque? Pas vraiment. Les rares fois où les livres d'histoire le mentionnent, c'est lorsqu'ils énumèrent les fidèles de Gambetta. Celui-ci, en revanche, est devenu une figure de légende. Pas une ville en France, pas une bourgade qui n'ait donné son nom à une école, à une rue, à une avenue, voire à tout un quartier; alors qu'il avait longtemps été brocardé et vilipendé par les journaux de gauche comme de droite, qui le décrivaient comme «débraillé», «hirsute», «fou», «braillard» et «borgne».

Étrange parcours que celui de ce fils d'immigrés italiens dont le grand-père avait été un modeste pêcheur des environs de Gênes, dont le père tenait une épicerie à Cahors, et qui n'avait lui-même obtenu la nationalité française qu'à l'âge de vingt et un ans. Avocat combatif, excellent tribun, totalement dévoué à l'idéal républicain et laïc, il était devenu, sous le Second Empire, le chef de file des opposants intraitables. Puis, en l'espace de cinq semaines, il allait s'élever au rang d'icône – et pour toujours.

Le 2 septembre 1870, Napoléon III, vaincu à Sedan, dans les Ardennes, avait été fait prisonnier par les Prussiens. Le pays était hébété, abasourdi, comme assommé par la défaite inattendue; et ce fut Gambetta qui, deux jours plus tard, proclama, devant l'Hôtel de Ville de Paris, la déchéance de l'empereur, la naissance de la IIIe République, et la formation d'un «gouvernement de la Défense nationale» pour faire face à l'armée ennemie, qui commençait à envahir le territoire national. Bientôt, la capitale elle-même fut encerclée. Le dernier espoir de la population, c'était qu'une armée se levât en province pour prendre les Prussiens à revers; la rumeur disait qu'une troupe nombreuse s'était rassemblée dans la vallée de la Loire, du côté de Tours.

C'est alors que se produisit un événement mémorable: le 7 octobre, à Montmartre, sur la place Saint-Pierre, Gambetta monta dans la nacelle d'un ballon et s'éleva dans les airs. Une foule ébahie assistait à la scène. L'aérostat essuya des tirs en passant au-dessus des lignes ennemies, mais il parvint, après quelques escales, à se poser dans un bois proche de la commune d'Épineuse, en Picardie; ensuite à Amiens, puis à Rouen, avant de redescendre vers Tours. D'où le ministre intrépide lança un appel au «combat à outrance».

Son initiative ne modifia en rien le rapport des forces; certains de ses adversaires l'accusèrent même d'avoir causé des souffrances inutiles en prolongeant une guerre déjà perdue. Mais son geste symbolique avait redonné à la nation vaincue une fierté, et elle lui en a été éternellement reconnaissante. Du jour au lendemain, ce politicien classé à l'extrême gauche s'était littéralement élevé au-dessus de tous les partis, de toutes les doctrines, et aussi au-dessus de lui-même pour devenir un mythe. « Gambetta personnifie devant l'Histoire le sursaut de la patrie », écrira le colonel de Gaulle en 1938 ; et, deux ans plus tard, il voudra suivre son exemple.

Au sein du gouvernement de la Défense nationale, Gambetta avait le portefeuille de l'Intérieur. Et l'une de ses premières mesures fut de confier à un certain nombre de ses fidèles la mission de rétablir l'autorité de l'État dans les provinces françaises. Challemel fut dépêché à Lyon comme « préfet du Rhône ». C'était son baptême du feu, en quelque sorte. La deuxième ville du pays était pratiquement en état d'insurrection, et le pouvoir central n'était pas en mesure de donner à son représentant les moyens d'agir. Il fut violemment critiqué par toutes les factions rivales, et il finit par jeter l'éponge ; mais son mentor jugea qu'il n'avait pas démérité, et il le fit élire sur sa liste aux législatives.

Si Challemel n'avait pas fait ses preuves comme administrateur ni comme négociateur, il se révéla un excellent parlementaire, et surtout un orateur hors pair. De ce fait, sa carrière politique n'allait pas être une parenthèse comme il le croyait, ou feignait de le croire. Pendant un quart de siècle, il sera tour à tour député, sénateur, ambassadeur, ministre des Affaires étrangères, et à la fin, on l'a vu, président du Sénat. Sans doute Gambetta lui avait-il mis le pied à l'étrier ; mais c'est grâce à son propre talent qu'il avait pu rester en selle après la mort de son protecteur. Laquelle intervint subitement, en 1882, à l'âge de quarante-quatre ans, et dans des circonstances qui n'ont jamais été totalement élucidées. On parla de péritonite, de diabète et de cancer ; ses ennemis politiques évoquèrent également une dispute avec sa maîtresse ; ce qui alimenta les rumeurs, c'est qu'il s'était blessé au bras quelques semaines plus tôt, en manipulant imprudemment, avait-il dit, un pistolet chargé.

Ce mystère n'a fait qu'ajouter encore à sa légende. Elle était née, bien entendu, avec son décollage épique de la butte Montmartre ; et elle s'était amplifiée quand il avait appelé à la résistance contre un envahisseur dont la victoire était déjà acquise. Mais ces gestes n'auraient pas suffi à asseoir durablement sa notoriété s'il n'avait pas mené par ailleurs, et pendant des années, un combat déterminé et efficace pour l'instauration d'une République fondée sur le suffrage universel, et dotée d'institutions solides. Peut-être faut-il rappeler que la première République française n'avait duré que douze ans, et la deuxième quatre ans seulement, alors que celle que proclama Gambetta allait durer soixante-dix ans, et mettre définitivement un terme à tous les rêves de restauration monarchique.

De ce fait, il n'est pas abusif de considérer ce fils

d'immigrés, sinon comme le fondateur de la République française, du moins comme l'un de ses pères.

★ ★

★

Challemel était à ses côtés, tout au long. Avec dévouement, avec constance, avec rigueur. Et l'on comprend qu'il ait reproché à son prédécesseur à l'Académie de n'avoir pas été du même bord, ni du même combat.

De fait, Renan se méfiait du suffrage universel, qui donnait, de son point de vue, trop de poids à une masse populaire inculte, «dénuée d'idéal», disait-il, et «repoussant tout principe social supérieur à la volonté des individus». À ses yeux, le progrès d'une société devait s'obtenir en éduquant les masses, pas en leur confiant le pouvoir.

Paradoxalement, le caractère des deux académiciens était, pourrait-on dire, à l'opposé de leurs convictions. Renan, qui n'avait pas une haute idée du peuple, était d'une grande aménité avec ses semblables; il pouvait deviser longuement avec des personnes simples, sans manifester de l'impatience ni de l'irritation. Alors que Challemel le démocrate était, aux dires de ceux qui l'ont connu, irascible et hautain.

En guise de témoignage, il y a notamment une lettre de Juliette Drouet à Victor Hugo, son amant. Bien qu'ils aient été quasiment mari et femme pendant un demi-siècle, ils préféraient ne pas vivre sous le même toit; ce qui explique qu'ils se soient abondamment écrit – leurs lettres se comptent par dizaines de milliers.

Juliette réunissait souvent chez elle des gens que Victor avait envie de voir, ou qu'elle souhaitait lui faire rencontrer. En parcourant sa correspondance, on apprend que le samedi 22 septembre 1877, elle avait invité à dîner l'écrivain Auguste Vacquerie, un ami du couple; et qu'elle avait une inquiétude. «J'ai oublié hier de dire à Vacquerie qu'il se trouverait avec Challemel-Lacour ce soir, mais j'espère qu'il n'en sera pas fâché car il doit être accoutumé à coudoyer souvent des êtres peu sympathiques et un de plus ou de moins dans le tas ne peut guère le gêner. J'espère donc que tout ira bien ce soir malgré ma bévue. Tâche seulement d'être là au moment du premier choc et tout ira bien.»

On retrouve une impression similaire sous la plume du député Maurice Ordinaire, qui fut, pour un temps, l'un des proches collaborateurs de Challemel. «Il était, par nature, le moins sociable des hommes, écrit-il à son propos dans ses Mémoires. Un infini dédain pour l'humanité, des inquiétudes continuelles pour sa santé, une susceptibilité anormale, des caprices inexplicables, ne rendaient faciles ni sûres ses relations avec le monde extérieur et même avec ses plus intimes amis.»

De l'avis unanime, le personnage pouvait se montrer insupportable. Et avec tout le monde, même avec Gambetta. Le journaliste Joseph Reinach, qui fut l'ami des deux hommes, rapporte un incident dont il fut témoin dans les locaux de *La République française*, et où Challemel avait déversé sa mauvaise humeur sur

Gambetta lui-même, avant de lui claquer la porte au nez.

Dans un supplément du *Figaro* intitulé *Silhouettes à la plume*, publié en 1876 et qui brosse le portrait des sénateurs et des députés du moment, Challemel est dépeint avec hargne : «Figure pâle et pincée, sourire mauvais... Parle comme s'il avait une guillotine à la place d'une bouche.»

Ces témoignages montrent bien que l'homme avait un aspect revêche et rebutant. Qu'il assumait, d'ailleurs. Soit par conviction, comme il le prétendait, soit – plus proba- blement – par dépit. Dans un manuscrit inachevé qu'on retrouva dans ses tiroirs, et que Reinach publia à titre posthume sous le titre *Études et réflexions d'un pessimiste,* il écrivait: «Le besoin de plaire à ses semblables est-il donc si impérieux dans l'homme, et l'instinct de socia- bilité veut-il des applaudissements quels qu'ils soient, comme le besoin d'affection fait rechercher, à défaut de sympathies humaines, les caresses d'un chien?»

Tous les témoignages concordent donc, y compris le sien : Challemel suscitait peu de sympathie chez ceux qui l'approchaient. On pouvait respecter sa rigueur, et admirer son talent. Mais on pouvait difficilement l'aimer.

Peu de gens devinaient sous ce masque sévère l'idylle tumultueuse qui fut la sienne de sa jeunesse jusqu'à sa mort, et qui affecta très certainement ses comporte- ments et ses humeurs.

Ses amis les plus proches étaient fort discrets sur

ce chapitre. Reinach évoque, dans un texte publié peu après le décès de Challemel, «l'immense tendresse secrète de sa vie», et rend hommage, sans la nommer, à celle qui avait été «la mystérieuse compagne de son existence».

Leur histoire d'amour avait commencé à Bruxelles en 1852. Le jeune opposant venait d'être expulsé de France. Il était sans argent, sans revenu fixe, il lui fallait trouver du travail au plus vite. On lui proposa de devenir le précepteur des enfants d'un musicologue renommé. Ce n'était pas l'emploi rêvé pour un normalien, agrégé de philosophie; mais il n'avait pas vraiment le choix.

La mère de ses pupilles se prénommait Eugénie. Elle était d'une grande beauté, et son mariage battait de l'aile. L'arrivée du jeune professeur fut pour elle un rayon de soleil; pour lui, le naufragé, ce fut un rivage. Il racontera leur rencontre quelques années plus tard, dans un récit qui ne ressemble pas beaucoup à ses autres écrits; par pudeur, il le fera à la troisième personne, en prétendant, avec une candeur enfantine, qu'il décrivait «un» coup de foudre, et non le sien. «Dès la première minute, sans s'être regardés, ils se sont vus... Pourquoi sont-ils tout à coup effrayés et inquiets? Ils ne sauraient dire eux-mêmes s'ils sont ennemis ou complices, s'ils s'appellent ou s'ils se redoutent, si ce qui les entoure est un rempart salutaire ou un obstacle. Mais une puissance vraiment divine prend possession d'eux en cet instant. Ils obéissent, éperdus... »

Il n'avait pas tout à fait vingt-cinq ans, elle en avait

un peu plus de trente. Ils promirent de s'aimer pour toujours et, chose rare, ils réussirent à tenir promesse.

Ils étaient moins discrets au commencement de leur liaison qu'ils ne le deviendraient plus tard, et la chose s'ébruita vite. Le mari était un personnage connu, et le père d'Eugénie était un général. La rumeur s'enfla à tel point que Challemel, qui pensait s'installer en Belgique, dut réviser ses plans. Lorsqu'il annonça à son amante son intention de partir, elle lui dit qu'elle l'accompagnerait. Ce qu'elle fit. Et c'est avec elle que l'exilé parcourut l'Allemagne, l'Italie, la Suisse. Les années d'errance se muèrent en une très longue lune de miel.

Quand, profitant de l'amnistie, l'opposant regagna la France, elle revint avec lui. Ils habitèrent ensemble. On le sait indirectement, par une anecdote. En février 1860, Richard Wagner se rendit à Paris. L'un des buts de son voyage était de faire publier quatre de ses livrets d'opéra dans une bonne traduction française. Le poète allemand Georges Herwegh lui conseilla de confier cette tâche à l'un de ses amis. «C'est M. Challemel-Lacour qui s'est occupé de la traduction, écrit le compositeur dans ses Mémoires, intitulés *Ma vie*. Je l'avais rencontré chez Herwegh, du temps où il était réfugié politique. Il s'agit d'un traducteur d'une grande intelligence, et il m'a rendu un immense service en effectuant cette traduction dont tout le monde a reconnu la valeur.» Le propos est élogieux; cependant, on possède une lettre écrite par Eugénie à Emma Herwegh, l'épouse du poète, qui était son amie. Elle lui raconte, d'un ton rigolard, que son compagnon vient de commencer la traduction du livret, et qu'elle-même «juge l'œuvre de Wagner par les grimaces qu'il fait». Parfois, dit-elle, «il soupire, d'une manière qui est tout sauf flatteuse»; parfois, il jette le livret de côté et court vers le jardin pour se débarrasser de «cette piètre poésie» et retrouver la nature, «la plus belle poésie de toutes».

Après l'avoir accompagné dans son exil, son amante l'accompagna donc dans son ascension sociale et politique: préfet, parlementaire, ministre, académicien... À ce stade de leur vie, ils auraient bien aimé que leur liaison fût, comme on disait alors, «régularisée». Mais le mari délaissé refusa obstinément. La blessure qu'il avait reçue ne s'était jamais refermée, et il n'était toujours pas d'humeur à leur pardonner, ni à leur faciliter l'existence.

Contraints de vivre leur liaison dans le secret et la dissimulation, ils se mirent à espérer sa mort. Il avait dix ans de plus que sa femme, et quinze ans de plus que Challemel. Le jour où il disparaîtrait, Eugénie, devenue veuve, pourrait se remarier. Mais là encore, le mari délaissé s'obstina, si l'on ose dire. Né en 1812, il ne se décida à trépasser qu'en 1909, à l'âge de quatre-vingt-dix-sept ans. Les deux amants étaient déjà morts depuis longtemps, sans avoir pu se marier...

Ce fut elle qui partit la première, en 1894. Challemel en fut dévasté, et même anéanti. «Du jour où il eut enfermé dans le tombeau celle qui avait été pendant quarante ans la mystérieuse compagne de son existence, il n'eut plus qu'une pensée, celle de l'y rejoindre », écrit Reinach. Ce qui arriva en 1896, le 26 octobre. Conformément à ses dernières volontés, il fut enterré près d'elle, au cimetière du Père-Lachaise.

L'Académie lui donna pour successeur sur le vingt-neuvième fauteuil un homme qui avait été, lui aussi, un fidèle de Gambetta, entré en politique dans son sillage, et même sur son injonction. Mais c'est pour d'autres raisons qu'on s'était résolu à l'élire.

15

Celui qui fut « l'homme le plus insulté de France »

Le 7 octobre 1896, un événement peu ordinaire eut lieu quai de Conti : le tsar Nicolas II, en visite officielle à Paris, vint prendre part à une séance de l'Académie française. Par ce geste, il voulait suivre, dit-il, l'exemple de son lointain ancêtre, Pierre le Grand. Celui-ci n'avait, à vrai dire, jamais assisté à une telle réunion. Il s'était bien rendu, en mai 1717, au siège de la Compagnie, qui se trouvait en ce temps-là au palais du Louvre ; mais, comme à son habitude, il n'avait averti personne de sa venue. Deux académiciens, qui se trouvaient là par hasard, s'empressèrent de lui montrer la salle des séances ; elle était déserte ; il repartit aussitôt.

Nicolas et son épouse, la tsarine Alexandra, voulaient assister, quant à eux, à une vraie séance, et on leur en offrit une. L'Académie était là quasiment au complet ; il n'y avait que deux absents, dont Challemel, qui était, ce jour-là, à l'article de la mort.

Il y eut quelques discours de bienvenue ; un poème de circonstance sans grande valeur ; puis une délibération autour d'un mot du dictionnaire : le verbe «animer». Les académiciens rivalisèrent d'érudition, de brio et d'humour, et le tsar participa lui-même à la discussion. Il avait l'air ravi, et prêt à prolonger longtemps sa présence en ce lieu. Mais il y avait encore ce soir-là une réception en son honneur à l'Hôtel de Ville ; puis un dîner de gala à l'ambassade de Russie, suivi d'une soirée de gala à la Comédie-Française... À dix-sept heures, le ministre français des Affaires étrangères, Gabriel Hanotaux, tapota du doigt sur sa montre avec un geste d'excuse. Le souverain acquiesça et se leva aussitôt. Le reste de l'assistance fit de même.

Trois semaines plus tard, on apprit le décès de Challemel. Et lorsqu'une date fut fixée pour l'élection de son successeur, on eut la surprise de voir arriver une lettre de candidature signée de ce même M. Hanotaux.

Il y avait dans cette démarche quelque chose d'incongru, et même de légèrement inconvenant. Le ministre était toujours à son poste, l'un des plus prestigieux de la République. Il venait d'assister, en cette qualité, à une séance privée. N'était-il pas en train de profiter de sa position pour «forcer la porte»? À l'Académie, on n'était pas peu embarrassé. Comment lui dire «non» sans donner l'impression d'insulter le gouvernement de la France? Comment lui dire «oui» sans donner l'impression d'obéir à une injonction des autorités?

Cela dit, le personnage avait indéniablement toutes les qualités requises. S'il s'était présenté dans d'autres circonstances, on n'aurait pas été surpris de sa candidature, on s'en serait même réjoui. C'était un historien talentueux, rigoureux dans sa recherche et élégant dans son expression. Homme de savoir, il était également un homme d'action à l'habileté reconnue ; sinon, comment aurait-il pu devenir, à quarante ans, le chef de la diplomatie française ? Trop habile, maugréaient certains, qui ne parvenaient pas à s'accommoder de cette candidature intempestive.

Vint le jour où il fallait voter. C'était le 1ᵉʳ avril 1897. Il y avait, à cette séance-là, deux fauteuils à pourvoir. Pour l'un, l'élection se fit dès le premier tour. Pour l'autre, le ministre des Affaires étrangères fut mis «en ballottage» au premier tour, au deuxième, puis au troisième ; il finit par passer, au quatrième tour, de justesse, à une voix près. Telle avait donc été la «sagacité collective» de la Compagnie : n'ayant pas apprécié la manière, elle avait tenu à manifester son agacement ; mais elle l'avait fait avec retenue, avec mesure.

Hanotaux prit acte du petit camouflet, sans s'en formaliser, et sans en vouloir à ses confrères. Il s'installa dans son fauteuil pendant quarante-sept ans, et s'y montra bien plus assidu qu'on ne s'y attendait. Il est vrai que sa carrière politique allait bientôt s'interrompre abruptement, le contraignant à revenir à une existence tranquille, faite de recherche et d'écriture. C'est ce qui correspondait le mieux, d'ailleurs, à son tempérament comme à son talent.

★ ★
★

Né en novembre 1853 dans une famille de notaires picards, il avait fait ses études à la prestigieuse École des Chartes. Plus tard, il racontera dans ses Mémoires, intitulés *Mon temps*, comment il pouvait oublier les heures et les jours, oublier même de se nourrir, dès qu'il était plongé dans ses archives. S'il s'en éloigna, à une époque de sa vie, c'est uniquement parce que Gambetta en personne, qu'il admirait et vénérait, comme la plupart de ses compatriotes, mais qu'il n'avait jamais rencontré jusque-là, le convoqua un jour dans son bureau pour le lui « ordonner ».

C'était en juin 1881. Hanotaux était un jeune historien de vingt-sept ans, fort studieux et très peu connu ; lorsqu'il avait envie de parler d'un sujet que lui avaient inspiré ses recherches en bibliothèque, il faisait un article pour une rubrique intitulée «Variétés historiques», que publiait *La République française,* le quotidien fondé par Gambetta et ses amis. L'homme d'État était alors président de la Chambre des députés, mais il continuait à suivre de près ce qui s'écrivait dans son journal, et il avait beaucoup apprécié l'un des papiers donnés par Hanotaux. Celui-ci parlait de l'Édit de Nantes par lequel Henri IV avait mis fin aux guerres de Religion entre catholiques et protestants ; Gambetta avait trouvé que c'était là un bel exemple de ce qu'il faudrait faire à présent en France pour mettre fin aux querelles interminables entre républicains et monarchistes, entre cléricaux et laïcs, etc. Comme les articles des «Variétés» n'étaient pas signés, il demanda au rédacteur en chef l'identité de l'auteur, et exprima le désir de le rencontrer.

Hanotaux raconte dans ses Mémoires comment il fut reçu dans le bureau du grand homme, au Palais-Bourbon. «Je fus conquis du premier coup. La netteté des traits, la fraîcheur du visage, la franchise du regard, qui, d'un œil unique, révélait, pour ainsi dire, l'âme d'une seule pièce, la chaleur d'une voix qu'un léger enrouement rendait plus humaine, la lumière de l'esprit, l'aisance du cœur, une familiarité généreuse qui tendait la main avec une grâce mesurée et virile, la personne, en un mot, et l'accueil m'enveloppèrent d'une atmosphère que rien, depuis, ni la séparation, ni la mort, n'ont pu dissiper.»

Gambetta se montra séduit par cette idée d'un «Édit de Nantes des partis». Il la commenta longuement, évoquant les conséquences bénéfiques qu'elle aurait à l'intérieur du pays comme dans ses relations extérieures; et soudain, il lança à son visiteur interloqué: «Quittez vos archives! Venez à la politique! Entendez-vous? Il nous faut des hommes. Demain, il sera trop tard, si vous n'avez pas pris place et acquis l'expérience... Venez, et amenez-nous des jeunes!»

Comment Hanotaux aurait-il pu demeurer insensible à une telle injonction, surtout de la part d'un homme déjà entré, de son vivant, dans la légende? De plus, pour un amoureux de l'histoire, la tentation était grande de contribuer à la faire, pas seulement à la raconter.

Il travailla d'abord auprès de Gambetta lui-même; puis il devint le chef de cabinet d'un personnage à peine moins mythique : Jules Ferry. Les deux hommes comptent aujourd'hui au nombre des figures fondatrices de la République. Ils étaient amis, et souvent alliés politiques. Mais pas toujours. Il leur arrivait aussi d'être en désaccord l'un avec l'autre, et même carrément en conflit. L'un est passé à la postérité comme un symbole du sursaut patriotique. L'autre est resté dans les mémoires comme le fondateur de l'école républicaine – laïque, gratuite, et obligatoire ; on oublie parfois qu'il fut également l'un des plus farouches partisans de la construction d'un empire colonial. Dans son esprit, c'était même là une conséquence naturelle de sa politique éducative : la France avait le devoir d'assurer la meilleure instruction à sa population ; et elle avait, de même, le devoir d'apporter au reste du monde ses Lumières. Peu de gens parlèrent de la « mission civilisatrice » avec autant de conviction et d'éloquence que cet homme de gauche, qui s'affirmait républicain, humaniste et franc-maçon.

Les clivages sur ce dossier allaient se modifier radicalement dans les décennies à venir, la défense de la colonisation devenant peu à peu l'apanage des mouvements nationalistes et des partis de droite, tandis que la gauche s'en lavait les mains. De ce fait, il n'est pas facile, de nos jours, de se remettre dans l'état d'esprit qui régnait dans le dernier tiers du XIXe siècle ; Hanotaux, dans ses Mémoires, se réjouit candidement de voir que, « grâce à Ferry », les parlementaires commençaient à employer couramment une expression jusque-là inconnue : « la politique coloniale ».

236

L'une des craintes de Ferry – comme de Gambetta, d'ailleurs –, c'était que les Français, traumatisés par la débâcle de 1870, deviennent les otages affectifs et intellectuels des courants nationalistes qui faisaient de la revanche leur cheval de bataille; cultiver cette obsession ne pouvait conduire qu'à un climat délétère où l'on s'accuserait les uns les autres de trahison, ou de complaisance face à l'ennemi, et où l'on cherche-rait des boucs émissaires. Aucun des deux hommes n'a vécu assez longtemps pour connaître l'affaire Dreyfus, mais ils redoutaient quelque chose de cet ordre. À leurs yeux, la solution pour la nation française n'était pas de vivre dans une fièvre patriotique permanente, mais de s'atteler patiemment à la construction d'un pays pros-père, avec des institutions solides, avec une jeunesse convenablement formée. Acquérir un empire colonial planétaire apparaissait, dans cette optique, comme une manière ingénieuse de «sortir par le haut» du tête-à-tête débilitant avec le puissant voisin de l'Est; et de réaffir-mer aux yeux du monde entier le rayonnement de la France. Le moment venu, disaient-ils, le pays pourra prendre sa revanche, et récupérer ses territoires perdus; mais ce n'est pas en poussant des hurlements qu'il se rapprochera de la victoire. «Y penser constamment, en parler le moins possible» – telle était la recommandation de Gambetta à propos de l'Alsace-Lorraine.

Hanotaux n'a jamais été, quant à lui, un doctri-naire, ni un militant; mais sa conception des choses n'était pas éloignée de celle des grands hommes qu'il a connus, servis et admirés. Quand, après un bref passage par le Parlement et le corps diplomatique, il devint, en mai 1894, ministre des Affaires étrangères, la politique qu'il suivit prenait en compte leurs préoccupations. Cela lui assura quelques succès ; mais cela causa aussi sa perte.

Le dilemme auquel il avait dû faire face en arrivant au quai d'Orsay pourrait se résumer comme suit : engagée dans son bras de fer avec l'Allemagne, la France n'avait pas d'autre choix que de s'allier à l'Angleterre ; le problème, c'est que celle-ci le savait, et qu'elle en profitait.

Par exemple sur la question de l'Égypte. Paris, qui avait joué un rôle majeur dans la construction du canal de Suez, aurait voulu qu'on lui reconnaisse, sur les affaires de ce pays, un droit de regard similaire à celui qu'avait Londres – qu'il y ait, en quelque sorte, « un contrôle à deux » sur la vallée du Nil. On sait, par la correspondance de Gambetta, qu'il y tenait beaucoup, et qu'il l'avait demandé aux Anglais. Ils avaient sèchement refusé. On les comprend : pourquoi auraient-ils fait des cadeaux à une puissance qui était de toute manière, en raison de son conflit avec l'Allemagne, contrainte de rester à leurs côtés ?

Ce qui rendait la chose plus préoccupante, c'est qu'au niveau planétaire, dans l'optique de la construction d'un empire colonial, le principal rival de la France était l'Empire britannique. Pouvait-on empêcher celui-ci d'adopter, dans toutes les régions du monde, une attitude aussi dédaigneuse que celle qu'il avait eue sur le dossier égyptien? Et pouvait-on lui damer le pion au Congo, à Constantinople, au Tonkin, ou ailleurs, si on avait constamment besoin de son aide dans le conflit autour de l'Alsace-Lorraine?

Pour sortir de l'étau, la France devait absolument tisser un nouveau réseau d'alliances. Hanotaux fit donc des ouvertures en direction des États-Unis d'Amérique, qui commençaient tout juste à jouer un rôle international significatif; et il entreprit de bâtir une relation très spéciale avec la Russie, qui se méfiait des ambitions allemandes en Europe comme des ambitions anglaises en Orient, et ne pouvait donc que souhaiter des relations étroites avec la France. Le somptueux voyage de Nicolas II à Paris avait pour premier objectif de consolider cette alliance naissante.

Pour Hanotaux, cette visite représenta indéniablement un succès. Ne venait-il pas de gagner à la cause de la France une puissance européenne majeure, qui avait grandement contribué à la défaite de Napoléon Ier, et qui avait même pris position, en 1870, en faveur de la Prusse? On applaudit sa vision stratégique, sa détermination, comme son habileté.

Il serait resté dans les mémoires comme un grand ministre et un diplomate hors pair si une autre de ses initiatives n'avait pas abouti, peu de temps après, à un échec retentissant: Fachoda.

Les péripéties de «l'incident» sont compliquées, mais

les données de base sont simples. Voulant contraindre l'Angleterre à accepter une tutelle commune sur l'Égypte, Paris eut l'idée d'envoyer un corps expéditionnaire dans le sud du Soudan, qui planta le drapeau tricolore dans une localité appelée Fachoda. Le calcul qu'on avait fait, c'était que Londres, confrontée à des troubles graves dans la région – notamment une révolte à Khartoum, qui avait coûté la vie au gouverneur britannique, le général Gordon –, préférerait trouver un arrangement à l'amiable ; la France retirerait alors ses troupes, et elle obtiendrait en échange d'être associée au gouvernement de l'Égypte.

C'était un coup de poker, auquel les Britanniques répondirent par un autre coup de poker : ils se dirent prêts à aller jusqu'à l'affrontement armé ; l'ambassadeur de France à Londres écrivit à son gouvernement que la nation anglaise était en proie à une fièvre nationaliste sans précédent, et que les menaces devaient être prises très au sérieux ; les Anglais tenaient à contrôler chaque segment de la route menant jusqu'aux Indes, et plus que tout le canal de Suez ; vouloir leur contester cette hégémonie, c'était mettre en péril leur empire, et ils étaient prêts à partir en guerre pour l'empêcher.

La France ne pouvait prendre le risque d'un tel conflit. Ce fut elle qui finit par céder. Elle retira ses soldats de Fachoda. L'opinion réagit avec rage, avec amertume, avec rancœur. Et Hanotaux, qui portait une responsabilité dans cette malheureuse entreprise, fut la cible des attaques les plus virulentes. Il dut quitter le quai d'Orsay en juin 1898, laissant à son successeur le soin de réparer, tant bien que mal, les pots cassés...

Il n'avait que quarante-quatre ans, et sa carrière politique était déjà brisée. À cause de cet incident, qui restera dans l'histoire comme une gigantesque maladresse ; et encore plus sans doute à cause d'une autre affaire, dans laquelle son rôle fut pourtant tout à fait marginal. Concernant Fachoda, il s'est toujours défendu avec vigueur, répétant jusqu'à son dernier jour que si on ne lui avait pas retiré le dossier, il aurait su éviter à la France l'humiliation qu'elle a subie, et transformer la reculade en avancée. Sur l'autre dossier, il n'a jamais donné que des explications partielles, nerveuses et embarrassées.

Peu d'affaires ont fait couler autant d'encre que celle qui est devenue tout simplement «l'Affaire». Il serait présomptueux de vouloir la résumer en quelques mots, mais il n'est pas superflu d'en rappeler les grandes lignes : en 1894, un officier français, le capitaine Alfred Dreyfus, fut accusé d'espionnage en faveur de l'Allemagne ; il ne cessa de clamer son innocence, mais il fut condamné à la dégradation et au bagne ; en 1897, grâce à des éléments nouveaux difficilement contestables, il devint apparent que Dreyfus était effectivement innocent. Fallait-il réviser le procès ? Après une longue querelle qui divisa la France entière en «dreyfusards»

et «antidreyfusards», le capitaine fut réhabilité, et ses accusateurs furent confondus.

En octobre 1894, alors que le dossier n'avait encore aucun retentissement public, les membres du gouvernement furent informés de l'accusation d'espionnage portée contre Dreyfus. C'est le ministre de la Guerre, le général Mercier, qui leur en parla. Hanotaux, qui était aux Affaires étrangères, lui recommanda la prudence ; il lui déconseilla surtout de faire arrêter l'officier comme il songeait à le faire. Mais son collègue ne l'écouta pas. Voulant apaiser certains journaux nationalistes qui avaient eu vent de l'affaire, il annonça l'arrestation de Dreyfus et justifia sa décision en affirmant qu'il était sûr de sa culpabilité ; il s'enferma désormais dans cette position, s'efforçant par tous les moyens de démontrer qu'il ne s'était pas trompé.

Hanotaux ne dit plus rien. Et jusque-là, son attitude était compréhensible. Il ne savait pas si l'accusé était innocent ou pas ; et, de toute manière, le dossier concernait l'armée ; il était donc normal que la décision en revînt au ministre de la Guerre plutôt qu'à celui des Affaires étrangères.

Le procès eut lieu devant le Conseil de guerre ; l'accusé, jugé coupable, fut condamné à la dégradation et envoyé au bagne. À ce stade, presque tout le monde était persuadé de sa culpabilité ; même Clemenceau, qui deviendrait plus tard son plus farouche défenseur, s'étonna, dans un éditorial publié au lendemain du verdict, que l'on se fût montré aussi clément et que «le traître» n'eût pas été fusillé.

Trois années passèrent, au cours desquelles le capitaine Dreyfus souffrit le martyre à l'île du Diable, au large de la Guyane ; tandis qu'en métropole, sa famille proche, entourée d'un petit groupe d'amis, se démenait encore pour démontrer son innocence. C'est surtout son frère aîné, Mathieu, qui menait l'enquête. En novembre 1897, il finit par avoir entre les mains tous les éléments nécessaires pour innocenter son frère et confondre les vrais coupables.

C'est alors que commença véritablement l'Affaire. Les défenseurs de Dreyfus demandèrent la révision du procès ; ils prirent contact avec les journaux, les hommes politiques, comme avec ceux qu'on commençait à appeler « les intellectuels ». Le 13 janvier 1898 fut publié dans le quotidien *L'Aurore*, dirigé par Clemenceau, un long article de Zola intitulé « J'accuse ! ».

C'était là, en quelque sorte, le manifeste des « dreyfusards ». Ceux-ci comprenaient des gens venus de tous les horizons, mais principalement des républicains de gauche, de conviction laïque, et qui étaient souvent – mais pas toujours – des anticléricaux ; dans l'autre camp, celui des « antidreyfusards », on trouvait surtout – mais pas uniquement – des catholiques, des nationalistes de droite, des antisémites. Le principal argument des premiers, c'est qu'il y avait eu une erreur de justice, et qu'elle devait être réparée au plus vite ; le principal argument des seconds, c'est qu'il ne fallait pas remettre en cause la décision de l'armée, vu que cela conduirait à sa démoralisation et à son affaiblissement.

C'est Clemenceau qui a choisi pour l'article de Zola

son titre en coup de poing; l'auteur voulait simplement l'intituler «Lettre à Monsieur Félix Faure, Président de la République». Et c'est effectivement vers ce dernier que se tournaient tous les regards. Vers lui et son gouvernement. Puisqu'un homme manifestement innocent avait été envoyé au bagne, les hautes autorités n'avaient-elles pas le devoir de l'en sortir, et de le réhabiliter?

Le chef de l'État hésitait; le président du Conseil également. Et Hanotaux? Lui, le disciple de Gambetta, l'ami de Jules Ferry, lui l'historien, n'était-il pas le mieux placé pour se dresser, en ce moment hautement chargé, pour dire d'une voix ferme qu'il faudrait mettre fin à l'injustice et éviter à la France une nouvelle guerre de religion? Il est vrai que le dossier ne dépendait pas du quai d'Orsay, mais l'Affaire avait pris une telle ampleur qu'elle ne relevait plus d'aucun ministère, elle était désormais au-delà.

Parmi les membres du gouvernement, c'est avec lui que les dreyfusards prirent contact en premier. Hanotaux leur affirma sans détour qu'il était à présent convaincu de l'innocence de Dreyfus. Qu'attendait-il alors pour le proclamer? Qu'attendait-il pour faire entendre sa voix? De nombreux amis le lui demandaient avec insistance – tels l'historien Gabriel Monod, ou encore Joseph Reinach, qu'il avait connu dans l'entourage de Gambetta, et qui jouait à présent, avec son frère Salomon, un rôle actif dans la mobilisation des amis de Dreyfus; ils le supplièrent, le réprimandèrent, puis le houspillèrent; mais au lieu de se laisser convaincre, il se rebiffa. Et s'entêta. Comme le président de la République, comme les autres membres du gouvernement, dit-il, il voulait laisser la procédure judiciaire suivre son cours, c'est elle qui devait décider de l'opportunité ou non d'une révision du procès. «Ce n'est pas à moi de juger», se défendait-il. Ce à quoi Clemenceau lui répondit: «Vous n'avez pas jugé? En êtes-vous sûr? Moi je dis que vous avez jugé, jugé à chaque heure du jour où, pouvant d'un mot sauver l'innocent, vous l'avez laissé dans la torture sans nom où il agonise.»

Dans le climat fortement polémique qui régnait en ces mois cruciaux de l'Affaire, Hanotaux en arriva à se faire détester de tous – des dreyfusards comme des antidreyfusards.

L'écrivain nationaliste Léon Daudet, l'un des chefs de file des antidreyfusards, l'a décrit en des termes féroces: «Dans une circonstance quelconque, Hanotaux, amené à prendre une décision ou un parti, choisira toujours le moins noble, celui qui l'engage le moins, et cherchera en même temps l'échappatoire, le moyen prochain de se dédire. Il croit que c'est cela la diplomatie. Un professeur de lâchage!»

On trouve le même son de cloche chez les dreyfusards. Selon le dirigeant socialiste Jean Jaurès, «M. Hanotaux a dans toute l'affaire Dreyfus une attitude d'une duplicité déplorable. Il tient un langage différent selon les personnes auxquelles il parle, et maintenant il affecte un silence diplomatique. Il a la naïveté de dire à ses amis: "L'affaire Dreyfus usera ceux qui prennent parti dans un sens ou dans l'autre; il faudra bien ensuite qu'on revienne aux hommes qui se sont récusés." Ce n'est pas d'une haute morale, et c'est sans doute d'une médiocre politique ».

Hanotaux lui-même s'efforçait de se donner une image d'élévation et de sérénité, mais il ne tarda pas à comprendre qu'il était en train de perdre sur tous les fronts, et il en devint amer, et désabusé. Dans une lettre qu'il a écrite à un diplomate de sa connaissance, on peut lire : « Ces intellectuels qui, naguère encore, étaient tous mes collaborateurs, mes amis, je dirais presque mes coreligionnaires, me sont devenus odieux. »

Sa carrière politique était à présent enterrée, de manière définitive. Il avait suffisamment de lucidité pour s'en rendre compte, et pour ne pas insister.

Fort heureusement pour lui, la politique n'était pas sa vie entière. Il était avant tout historien et chercheur, à l'aise parmi ses livres, ses documents, ses archives. Chassé du paradis politique, il se réfugia dans ses travaux d'écriture avec autant de ferveur que dans sa jeunesse. Ceux qui l'ont connu racontent qu'en son grand âge, il tirait même fierté des malheurs qui avaient été les siens. « J'ai été l'homme le plus insulté de France », disait-il avec un sourire de pirate.

Gabriel Hanotaux restera longtemps sur son fauteuil, à voir défiler les hommes, les régimes et les événements. Et à écrire, abondamment, sur de nombreux sujets :

de *La Bataille de la Marne* au *Partage de l'Afrique*; de *Jeanne d'Arc* à *La Jeunesse de Balzac*; une *Histoire de la nation française*, et une *Histoire de la nation égyptienne*; sans oublier *La Seine et les quais, promenades d'un bibliophile*. Le nombre de ses ouvrages dépasse la centaine. Il avait vécu son enfance et son adolescence sous le Second Empire; il avait connu dans sa jeunesse la débâcle de 1870, l'invasion prussienne, la Commune de Paris, la résurrection de la République; il allait connaître dans sa vieillesse la débâcle de 1940, l'Occupation allemande, la nouvelle mort de la République; avant de s'éteindre paisiblement, en sa quatre-vingt-onzième année, le 11 avril 1944, manquant de peu le débarquement en Normandie et la libération de Paris.

Son successeur sera élu six mois plus tard, le 12 octobre, lors d'une réunion exceptionnelle pour laquelle on avait dû consulter le général de Gaulle en personne.

16

Celui que tout le monde venait entendre

Dans son discours de réception sous la Coupole, le 21 juin 1945, André Siegfried se montra d'une extrême courtoisie envers son prédécesseur, défendant son bilan aux Affaires étrangères, et allant même jusqu'à rejeter sur d'autres responsables la faute de Fachoda ; à Gabriel Hanotaux, il ne reprocha qu'une chose : c'est qu'il n'ait rien compris à la mentalité des Anglais.

Le nouvel académicien savait fort bien de quoi il parlait, vu qu'il était, de l'avis général, l'un des plus fins connaisseurs de l'Empire britannique. Il n'avait cessé de le sillonner, de Liverpool à Sydney, et de Vancouver à Johannesburg. Il avait même servi, lors de la Grande Guerre, sous le drapeau de Sa Gracieuse Majesté, en tant que traducteur auprès d'une unité d'artilleurs canadiens. Un rôle qui correspondait parfaitement à sa personnalité. En effet, s'il se sentait heureux et fier de son identité française, il avait autant d'affinités avec le monde anglo-saxon. D'ordinaire, il évitait de le dire tout haut. Mais il lui est arrivé de « se lâcher ». Comme lorsqu'il écrivit la biographie de son père – et l'on devine qu'il s'y est dépeint également.

«Il n'eût pas souhaité être Anglais, car il faisait ses réserves, mais il regrettait au fond de lui-même que les Français ne possédassent pas les qualités anglo-saxonnes. Il en recommandait le modèle à ses concitoyens avec une simplicité qui l'empêchait de comprendre que ceux-ci pussent en être froissés dans leur amour-propre. De là bien des malentendus, car, s'il aimait profondément la France, il eût voulu en même temps que ses compatriotes fussent autres qu'ils n'étaient... Je crois franchement qu'il se fût senti plus à son aise en Suisse, en Hollande, en Angleterre ou aux États-Unis.»

Il est vrai que Jules Siegfried, qui fut maire, député, sénateur et ministre sous la IIIe République, eut un parcours qui ne ressemblait en rien à celui des autres politiciens français. Ayant grandi à Mulhouse, au sein d'une famille protestante qui travaillait dans le commerce cotonnier, il s'était initié très tôt à ce négoce ; puis, résolu à voler de ses propres ailes, il était parti pour les États-Unis, en ce temps-là un grand producteur de coton. C'était en 1861, la guerre de Sécession venait de commencer, et Jules comprit tout de suite que le monde allait avoir besoin d'une autre source d'approvisionnement. De son point de vue, ce ne pouvait être que l'Inde. Il partit sans tarder avec son frère pour Bombay, où il fonda une maison de commerce et put amasser, en quatre ans, une fortune considérable. Mais il ne resta pas longtemps sous les tropiques. Dès qu'il apprit que les confédérés sudistes avaient capitulé, il liquida ses affaires et revint en France.

Cherchant un port d'où poursuivre son activité de négoce international, il s'établit au Havre. Il s'engagea aussitôt dans la vie locale, entra au conseil municipal, et devint le maire de la ville.

À la naissance d'André, en avril 1875, la demeure familiale bruissait de discussions et de tractations politiques. Ses parents avaient fait construire, sur une colline dominant l'estuaire de la Seine, une somptueuse villa en pierre et en brique qu'ils avaient baptisée «Le Bosphore», en référence à un vers d'un poète local qui disait, en parlant du Havre : «Après Constantinople, il n'est rien d'aussi beau.» Lorsqu'un visiteur de marque venait de Paris ou d'ailleurs, c'est là qu'on le logeait.

L'enfant observait tout, écoutait tout. Et il accumulait les souvenirs. L'un de ceux qui se fixèrent le mieux dans son esprit se rapportait à Gambetta. André Siegfried n'était pas peu fier d'avoir connu, lui aussi, l'homme qui fut en France «le plus populaire depuis Napoléon». Même si leur rencontre ne fut qu'anecdotique. C'était en octobre 1881. Le futur académicien n'avait que six ans et demi. Gambetta était alors président de la Chambre, et il était venu passer une nuit au Havre. Le maire lui avait proposé de l'accueillir chez lui. Il devait arriver au «Bosphore» vers dix heures du soir, et le fils avait obtenu de ses parents, à titre exceptionnel, la permission de rester debout pour le voir. Le seul échange entre eux fut lorsque le visiteur pinça affectueusement l'oreille du gamin en lui disant : «Ah ! Ah ! Petite canaille !»

Mais le plus intéressant dans la visite, telle que la

relate l'auteur, ce fut le choc culturel entre les deux adultes. Dès que le maire arriva de la gare avec son invité, il lui dit : « Monsieur le président, vous êtes fatigué, vous avez demain un programme épuisant, montez vous coucher. Je vais vous faire porter une tasse de thé. » Gambetta se montra effaré par cette curieuse proposition. « Monter dans ma chambre ? Prendre une tasse de thé ? Vous n'y songez pas, mon cher ! Je monte me mettre à l'aise et je redescends causer avec vous. » Et en effet, on le vit redescendre ; « il avait enlevé sa chemise et on voyait son gilet de flanelle, par-dessus lequel il avait passé une sorte de veston d'intérieur en molleton ; sur sa tête, il avait enroulé un fichu rouge, qui formait madras... Le bourgeois correct qu'était le maire du Havre en demeura estomaqué ». Son invité allait le retenir dans le bureau, à boire des grogs, et à fumer des cigares, jusqu'à deux heures du matin.

Ayant côtoyé de tels personnages et vécu des moments fascinants, le fils fut naturellement tenté d'entrer en politique lui aussi. Dès qu'il eut terminé ses études, il commença par faire un long voyage autour du monde ; puis, à son retour, il se présenta aux élections législatives de 1902, parrainé par le président de Conseil de l'époque, Pierre Waldeck-Rousseau. Celui-ci le fit « parachuter » dans le midi de la France, face à un personnage pittoresque qui eut son moment de célébrité en ces années-là : le comte Boni de Castellane. Dandy, écrivain à ses heures, il avait épousé une riche héritière américaine, Anna Gould, ce qui lui permettait d'arroser généreusement sa circonscription – celle de

Castellane, justement, au pied des Alpes. La campagne fut des plus vicieuses; la gazette locale, favorable au comte, insistait lourdement sur le patronyme du candidat adverse; une comptine, imprimée et distribuée le jour du vote, disait: «Siegfried le dreyfusard, Naturalisé sur le tard, Aime les Allemands, Juifs et protestants, Abhorre nos soldats...» Boni de Castellane fut réélu, mais en raison des irrégularités flagrantes commises par ses partisans, le scrutin fut invalidé, et l'on vota de nouveau l'année suivante. Le jeune concurrent améliora un peu son score, sans modifier pour autant le résultat. Dans ses Mémoires, le député dandy évoquera la chose à sa manière. «Je fus acclamé, malgré les efforts d'un certain Siegfried, fils du sénateur... J'avais traité son père de vieille baderne, ce qu'il ne me pardonnait pas.»

Renonçant à cette circonscription, André décida de se présenter plutôt dans sa ville du Havre. Il fut encore battu, par deux fois. Aux législatives de 1906, puis à celles de 1910. Alors il jeta l'éponge, et se tourna vers une profession pour laquelle son père, homme d'action, n'avait que du dédain, mais que sa mère, fille de pasteur, tenait en haute estime: l'enseignement. «Je n'en veux pas aux électeurs qui m'ont laissé le loisir, la joie et la liberté d'esprit de l'étude, écrira-t-il quelques années plus tard. La volupté de comprendre me paraît aussi belle que l'ivresse de l'action.»

★ ★

★

Une volupté qu'il saura communiquer mieux que quiconque. C'est peu dire qu'il fut un professeur hors du commun. Son talent confinait au génie. À l'École libre des sciences politiques, ses cours rassemblaient de telles foules que l'on dut recourir à des solutions inédites. On commença par installer des haut-parleurs dans d'autres salles, mais cela ne suffisait pas. On pria Siegfried de donner les mêmes cours deux fois de suite, mais ce n'était pas la bonne solution. Alors on décida carrément de construire, à son intention, un nouvel amphithéâtre.

À son tour, le Collège de France chercha à l'attirer ; il accepta d'y occuper une chaire sans pour autant quitter « Sciences Po ». Ce fut, là encore, un succès remarquable. Et comme si cela ne suffisait pas à remplir ses journées, il multipliait les conférences publiques, en France comme à l'étranger ; et il écrivait régulièrement dans la presse.

Son talent était si exceptionnel qu'on lui demandait parfois quel était son secret. Il en parlait de bonne grâce, analysant le comportement des grands orateurs qu'il avait eu l'occasion d'écouter : des professeurs, des prédicateurs, des ténors du barreau ou de la politique ; ceux qui voulaient émouvoir, ceux qui voulaient persuader, ceux qui voulaient transmettre un savoir.

S'agissant de lui-même, il donnait volontiers ses « recettes ». Il insistait par exemple sur la nécessité de ne jamais céder à la facilité de lire un texte préparé. Sans doute cela donne-t-il au conférencier un sentiment de sécurité, mais pour que les auditeurs s'attachent à sa parole, c'est l'inverse qu'il faut : ils veulent sentir son insécurité, justement ; ils veulent sentir qu'il se met en danger « comme le dompteur dans la cage », et c'est cela qui lui gagne leur attention initiale.

Cette attention, il faut savoir la garder, disait-il ; celui qui parle doit « sentir son public un peu comme le cavalier sent le cheval avec son genou », afin de vérifier à chaque instant s'il tient la salle ou s'il est en train de la perdre. « Un signe qui ne trompe pas, c'est que, si l'on vous écoute, tous les yeux sont tournés de votre côté ; si l'attention est passionnée, les gens se penchent en avant pour mieux entendre. Au contraire, dans un auditoire distrait, particulièrement chez les jeunes, l'un regarde à droite, l'autre à gauche, on a l'impression d'une tête hirsute et mal peignée ; si ensuite on réussit à intéresser de nouveau, voici toutes les têtes en ligne, c'est comme si on avait donné un impérieux coup de peigne. »

Et il faut aussi, expliquait-il, prendre en compte les différences qu'il peut y avoir d'un pays à l'autre ; par exemple entre la France et l'Angleterre. « Le public de chez nous est impatient : à la moindre hésitation, au moindre arrêt prolongé un peu trop longtemps, on se met, comme si l'on avait horreur du vide, à causer avec son voisin. Si vous tenez votre public, ne le lâchez donc pas, menez-le tambour battant jusqu'à la fin, sans qu'il puisse se ressaisir, c'est-à-dire vous échapper. En Angleterre par contre il en va tout autrement : on peut hésiter, pauser, réfléchir longuement sur l'expression à laquelle on va s'arrêter. L'auditoire attend avec patience, presque avec sympathie, on a l'impression qu'il se dit : Voilà un homme consciencieux qui pèse ses mots avant de les prononcer. Un léger bégaiement passe même pour élégant. C'est que l'Anglais redoute la facilité de parole, il se défie du beau parleur comme du prestidigitateur qui vous subtilise prestement votre porte-monnaie.»

Parmi les autres préceptes, il en est un sur lequel il revenait constamment : il faut montrer de la considération pour son public. Mes auditeurs me pardonneront, disait-il, si je leur parle de choses compliquées en présumant à tort qu'ils les comprendront ; ils ne me pardonneront pas si je leur parle comme s'ils étaient des nourrissons, des ignorants ou des simplets.

Les élèves de Siegfried ont gardé un souvenir émerveillé de ces heures qu'ils passaient en sa compagnie, où ils ne connaissaient jamais l'ennui, où ils apprenaient tant de choses sans avoir le sentiment de fournir un effort. Plus important, sans doute, le professeur leur a transmis une attitude, et des règles de vie : oser inventer, oser innover, oser surprendre ; faire confiance à son intuition, à sa «curiosité affective» ; ne pas s'enfermer dans des spécialisations étroites, mais garder constamment à l'esprit la perspective ample ; et si l'on s'intéresse à un pays, aller sur place le plus souvent possible, pour observer la réalité de près, et pour écouter inlassablement ce que disent les gens.

Cette approche de la réalité, fondée sur l'écoute attentive, il l'appliqua lui-même tout au long de son existence, et c'est à elle qu'il doit le commencement de sa célébrité. Ainsi, dans sa jeunesse, après avoir subi ses échecs répétés aux législatives, il eut l'idée de se pencher longuement, avec des outils scientifiques, sur les comportements des électeurs. Publié à la veille de la Première Guerre mondiale, son *Tableau politique de la France de l'Ouest sous la Troisième République* sera considéré comme l'acte de naissance d'une discipline nouvelle : la sociologie électorale. Une discipline qui allait prendre un grand essor dans le monde entier, surtout avec la généralisation des sondages.

Le livre contenait notamment une idée qui, par sa nouveauté, par son originalité, par son apparente incongruité, ne pouvait passer inaperçue : analysant le comportement des électeurs en Vendée, il avait observé que le nord du département, dont le sol est granitique, votait plutôt à droite, alors que le sud, au sol calcaire, votait plutôt à gauche.

Que cette corrélation éminemment poétique entre géologie et idéologie fût réelle ou pas, cela importait peu ; le plus intéressant n'était pas le fait sociologique lui-même, mais la stimulation intellectuelle que l'hypothèse de Siegfried provoquait. Elle lui valut, d'entrée de jeu, une réputation de penseur audacieux, capable de s'écarter allégrement des sentiers battus. Et il la conserva sa vie entière. D'autres que lui ne voulaient avancer qu'en terrain sûr, ils préféraient se tailler un domaine, et quasiment un fief, sur lequel leur autorité serait incontestée, et en évitant prudemment d'empiéter sur les plates-bandes des autres. Siegfried n'avait pas ces précautions, ni ces frilosités.

Il ne cherchait pas à être le spécialiste d'un seul pays, d'une discipline, ni d'un thème. Son premier travail fut une thèse sur *La Démocratie en Nouvelle-Zélande* ; il publia ensuite plusieurs ouvrages sur les États-Unis, le Canada et l'Angleterre ; sur la France aussi, bien sûr ; et il consacra également des études, des analyses et des récits de voyage au Mexique, au Brésil, à la Colombie, aux Indes, à l'Afrique du Sud, ainsi qu'au monde méditerranéen. Son œuvre, qui compte plus de quatre-vingts titres, s'intéresse au protestantisme, au catholicisme et au judaïsme ; aux croisades, à la société industrielle, à l'artisanat rural, à Machiavel et La Fontaine, aux institutions politiques françaises comme aux grandes épidémies. Elle inclut même une *Géographie poétique des cinq continents* et une *Géographie humoristique de Paris*.

Ses livres, ses articles de presse, et surtout son talent d'enseignant hors pair, lui avaient valu assez tôt une grande renommée, ainsi que de beaux succès d'édition. Et bien qu'il n'ait jamais eu l'occasion d'exercer les fonctions politiques que son père souhaitait pour lui et que lui-même espérait dans sa jeunesse, il acquit cependant, auprès des gouvernants comme de l'opinion, une indéniable autorité morale.

En témoigne cette rencontre qui eut lieu en 1944, onze jours après la libération de Paris. Par correction, par devoir de réserve, André Siegfried ne pouvait en rendre compte publiquement, mais il en consigna les détails dans ses notes intimes.

«Hier soir, 4 septembre, une jeune fille en uniforme bleu, très élégante et correcte dans sa tenue militaire, est venue m'apporter une convocation du général de Gaulle m'informant que je serais reçu en audience le lendemain à 10 h 30 au ministère de la Guerre, rue Saint-Dominique. J'y arrive donc, à l'heure dite... On m'introduit dans un vaste salon, très éclairé, donnant sur le jardin. Derrière la grande table ministérielle, le Général est debout; il s'avance vers moi, la main tendue. J'étais extrêmement curieux de savoir quelle impression il me ferait. À peine avais-je vu quelques-uns de ses portraits, car sous l'occupation allemande ils étaient naturellement interdits. Je ne connaissais sa voix qu'à la radio et elle m'avait toujours paru antipathique et déclamatoire. Je pensais trouver un officier cassant, sans liant, plein d'autorité sans doute mais dépourvu de séduction. Mon impression, quand, sans transition, je me trouvai en face de lui, fut toute différente. C'est un homme très grand, essentiellement jeune d'aspect – il porte une quarantaine d'années au plus –, très à son aise dans son allure, homme du monde, en somme peu militaire malgré son uniforme et plutôt du genre diplomatique. La figure est ovale, osseuse, avec des cheveux bruns ou grisonnants, des yeux non pas rayonnants mais clairs et regardant droit, un teint plutôt olivâtre et couronnant le tout un sourire charmant et même séduisant. Nous savons qu'il peut être cassant et désagréable, je ne l'ai pas vu sous cet aspect, car son accueil

259

était empreint de la plus grande amabilité, avec une simplicité qui met à l'aise immédiatement. Sitôt que je suis assis, il me dit : "Eh bien, quelle est la situation ?"»

De Gaulle multiplia les questions à son visiteur. Sur son analyse de la situation intérieure et mondiale. Sur le régime à mettre à place. Sur ce qu'on attendait de lui personnellement – «que vous rétablissiez l'autorité de l'État dans le respect de la démocratie», lui dit son interlocuteur. Sur l'attitude à adopter face aux communistes – Siegfried répondit qu'on admirait leur esprit de sacrifice, et tout ce qu'ils avaient fait dans le combat pour la libération, mais que s'ils cherchaient à confisquer le mouvement à leur profit, on ne le leur pardonnerait pas. «"Ils ont essayé de le faire, dit le Général, mais ils n'en ont pas eu le temps, et c'est pourquoi j'ai tenu à arriver si vite. Croyez-vous qu'ils puissent encore s'emparer du pouvoir ?" "Sur le terrain des barricades, c'est possible, mais pas sur le terrain du vote ou de la consultation nationale." J'ajoute qu'il vaudrait mieux les avoir avec soi dans le gouvernement que contre soi. "C'est ce que je fais", me dit-il.»

Avant la fin de l'entretien, de Gaulle confia à son visiteur une sorte de mission. «"Il serait bien utile, dit-il, de faire connaître aux Anglo-Saxons l'état d'esprit de la France. Je souhaite que vous puissiez le faire. Les Américains, le président Roosevelt le premier, ne connaissent pas la France et sont inquiets à son sujet. Ils croient que la France est communiste ou fasciste, ils ne se rendent pas compte de l'état d'esprit que vous avez analysé. Si l'Amérique et l'Angleterre sont persuadées que la France est sincèrement démocratique et républicaine, sa position internationale sera grandement renforcée."»

★ ★
★

Parmi les autres personnalités que de Gaulle reçut en ces journées-là se trouvait Georges Duhamel, secrétaire perpétuel par intérim de l'Académie française. Il souhaitait rencontrer le Général pour évoquer avec lui l'avenir de l'institution, qui traversait alors l'une des crises les plus graves de son histoire. Une crise qui était, en partie du moins, la conséquence d'une pratique qu'elle avait adoptée quelques décennies auparavant ; qui, en son temps, paraissait légitime ; mais qui avait fini par se révéler désastreuse.

Au lendemain de la Première Guerre mondiale, la Compagnie avait jugé bon d'accueillir en son sein les artisans de la victoire. Clemenceau fut élu d'office, de même que l'ensemble des maréchaux, ou presque. Les académiciens ont dû penser que tous ces personnages se contenteraient d'être des symboles ; nul, en tout cas, ne se doutait que l'un d'eux pourrait jouer à l'avenir un rôle susceptible de diviser profondément la nation. C'est pourtant ce qui arriva lors de la Seconde Guerre mondiale quand, à la suite d'une nouvelle débâcle tout aussi traumatisante que celle de 1870, le maréchal Pétain, héros de Verdun – et qui, en 1929, avait été élu à l'Académie au fauteuil du maréchal Foch –, choisit de sortir de sa retraite en sa quatre-vingt-cinquième année et de se proclamer chef de l'État. Sa politique de collaboration avec l'occupant fut l'une des plus controversées dans l'histoire. Pour les uns, le vieil homme avait fait don de sa personne à la France, selon son expression, afin d'atténuer son malheur ; pour les autres, sa complaisance envers les nazis n'était rien moins qu'une trahison, d'autant qu'il s'était dépêché d'abolir le régime républicain au nom d'une « révolution nationale » autoritaire et conservatrice.

Ce qui rendit les choses bien plus périlleuses pour l'Académie, c'est qu'elle avait alors, en la personne de l'écrivain André Bellessort, un secrétaire perpétuel acquis aux thèses du maréchal. À la séance du jeudi 31 octobre 1940, il se montra favorable à ce que la Compagnie manifestât à ce dernier « son approbation et sa confiance ». Seuls trois des membres présents se rangèrent de son avis, et la proposition fut rejetée. Dans le procès-verbal, soigneusement calligraphié à l'ancienne, on peut lire ces lignes laconiques : « L'Académie ne s'est pas trouvée unanime sur l'opportunité de cette manifestation. Le travail du dictionnaire est poursuivi jusqu'au mot Ajusteur. » Comparée aux combats gigantesques qui se déroulaient en ce temps-là en Europe comme sur le reste de la planète, la minuscule bataille qui venait d'avoir lieu au quai Conti était insignifiante. Mais c'était, moralement, un tournant.

Deux mois plus tard, s'éteignait Henri Bergson. La mort d'un philosophe juif dans une ville soumise à des autorités violemment antisémites ne pouvait donner lieu aux hommages qu'il méritait; et cela, en soi, était une souffrance pour les esprits libres. Ses collègues, ses anciens élèves, ses lecteurs, ses amis devaient s'obliger à une tristesse muette, vu que toute manifestation publique d'affection ou d'admiration était exclue. Ce fut Paul Valéry qui s'éleva à l'altitude morale qu'il fallait. À la séance du 9 janvier 1941, il prononça un hommage retentissant au confrère disparu. «Il était l'orgueil de notre Compagnie... et son nom le dernier grand nom de l'histoire de l'intelligence européenne.» L'allocution circula sous le manteau en France comme à l'étranger, suscitant la fierté et l'espoir.

Un an plus tard, Bellessort mourut, et on le remplaça par Duhamel, un romancier dont certains ouvrages étaient interdits par les forces d'occupation. Son prédécesseur aurait difficilement pu, à la Libération, demander audience à de Gaulle. Duhamel savait qu'il serait reçu avec grande courtoisie. Et il le fut, bien plus encore qu'il ne pouvait l'espérer.

«Qu'allez-vous faire du maréchal Pétain? lui demanda, d'entrée, le chef de la France libre.

– Et vous, mon général, qu'allez-vous en faire?» rétorqua Duhamel.

De Gaulle parut surpris et amusé par l'audace de son interlocuteur. Mais il répondit de bonne grâce qu'il pensait l'envoyer dans le midi de la France, jusqu'à ce que la mort vienne le prendre. Au général Leclerc, dont la division blindée était arrivée en premier à Paris, et qui lui avait demandé ce qu'il devait faire s'il trouvait

Pétain sur son chemin, de Gaulle avait répondu qu'il faudrait « l'expédier en Suisse ». Le maréchal avait quatre-vingt-huit ans à la Libération. Finalement, il sera enfermé à l'île d'Yeu, dans une citadelle. Quant à l'Académie, elle l'exclura de ses rangs, mais elle attendra son décès avant de lui choisir un successeur.

La raison la plus immédiate pour laquelle Duhamel avait demandé audience concernait les élections. De nombreux confrères étaient morts pendant les dernières années, et l'on n'avait pas pu les remplacer, vu qu'il eût été moralement inacceptable de voter dans une ville occupée. À présent, Paris était libéré, le scrutin pouvait y être organisé – sauf qu'il n'y avait plus de quorum ! Selon le règlement, il faut que vingt membres soient présents pour qu'une élection soit valide ; dans certaines circonstances, dix-huit suffisent. Mais où diable les trouver ? Avec les douze qui étaient morts, avec tous ceux qui étaient à l'étranger, en fuite, en prison, ou à l'article de la mort – Duhamel avait beau faire ses comptes, il n'arrivait en aucun cas à dix-huit.

Lorsqu'il évoqua ce problème devant de Gaulle, il eut l'agréable surprise de voir que celui-ci y avait déjà réfléchi. Mieux que cela : le Général, qui avait depuis l'enfance une passion pour la littérature, s'intéressait de près à tout ce qui concernait l'Académie ; il connaissait bien son histoire, depuis sa fondation ; et il avait manifestement été informé dans le détail des querelles qui y avaient eu lieu sous l'Occupation.

Ce fut lui qui souffla à son visiteur la solution à adopter : ne pas se braquer sur la question du quorum, puisqu'on n'y pouvait rien ; réunir au plus vite le plus grand nombre de membres disponibles, afin d'élire des personnes de grand talent, et qui aient eu, face à l'Occupation, une attitude honorable. «Il faut faire une belle Académie», dit le Général. Puis il évoqua des noms. On ne sait pas lesquels, Duhamel ne les a pas consignés dans ses notes.

Ce qui est certain, c'est qu'au lendemain de cet entretien, le secrétaire perpétuel prit contact avec trois personnes, qui furent élues cinq semaines plus tard, lors d'une même séance : Louis de Broglie, prix Nobel de physique ; Pasteur Vallery-Radot, médecin, résistant, petit-fils de Louis Pasteur ; et André Siegfried.

★ ★

★

Grande était la fascination que celui-ci exerçait sur ses étudiants, sur ses auditeurs, et même, à travers eux, sur la société tout entière. On ne peut en avoir qu'une idée très approximative, hélas, vu qu'on possède peu d'enregistrements de ses conférences. Cependant, la lecture de ses ouvrages continue à apporter un plaisir et une stimulation intellectuelle qui permettent de se faire une idée de ce qu'ont dû éprouver ceux qui avaient pu l'écouter. Avec lui, jamais on ne s'ennuyait, jamais on ne perdait le fil. Jamais, non plus, on ne se sentait infantilisé, ni manipulé, ni trompé.

L'auteur avait pour règle d'exprimer sans détour ce qu'il voyait et ce qu'il éprouvait, indépendamment des sympathies qu'il pouvait nourrir pour les uns ou les autres. Comme lorsqu'il visita Montréal en 1906. «Certains étrangers peuvent y séjourner des semaines entières, y fréquenter les hôtels, les banques, les magasins, les gares, sans se douter le moins du monde que la ville est en grande majorité française. La société britannique affecte de l'ignorer et elle vit et se comporte comme si elle n'avait pas de voisins. Cent mille des siens regardent Montréal comme leur appartenant. Puisque ce n'est ni par l'élection ni par le droit du nombre, il faut bien avouer qu'au fond de leur esprit subsiste encore et malgré tout la vieille notion, non oubliée, du droit de conquête. Considérez les *civil servants* des Indes et vous comprendrez mieux les maîtres du Canada.» Des propos sévères, et qui feront date, d'autant qu'ils venaient d'un homme qui n'avait pour les Britanniques que de l'estime et de l'amitié.

Siegfried n'était jamais de mauvaise foi. Et jamais laborieux. Quel que fût le sujet de son enquête ou de sa réflexion, on pouvait être sûr que la réalité qu'il décrivait était celle qu'il avait observée; et que, de surcroît, il la décrivait adéquatement, d'une manière qui la rendait compréhensible, et même attrayante. Il a dit un jour que le rôle de l'enseignant était celui d'un «filtre», qui transforme l'eau trouble en eau limpide. Ses propos avaient cette qualité.

Ce qui gêne, néanmoins, notre lecture de son œuvre, c'est l'usage de certains termes et de certaines expressions qui étaient dans l'esprit de son époque, et qui ne sont pas dans l'esprit de la nôtre. Notamment lorsqu'il parle des races. C'est là, quelquefois, une question de vocabulaire. Ainsi, lorsqu'il publie l'ouvrage dont nous venons d'extraire le passage consacré à Montréal, et qu'il l'intitule *Le Canada, les deux races*, désignant de cette manière les habitants d'origine française et ceux d'origine anglaise, il est clair que lesdites « races » étaient juste l'équivalent, en 1906, de ce que l'auteur aurait lui-même appelé, un siècle plus tard, des « communautés », ou des « populations », sans rien changer à son exposé.

Quelquefois, cela va au-delà du vocabulaire. Comme lorsqu'il évoque, à l'instar de son contemporain Kipling, le destin de « l'homme blanc » ; ou qu'il s'inquiète, lors d'une visite en Californie, du « péril jaune » qu'y constituent, de son point de vue, les immigrés d'origine asiatique. Ses croyances, en la matière, étaient celles de sa génération. Il écrit, avec sa limpidité coutumière : « Il y a, dans la psychologie des peuples, un fond de permanence qui se retrouve toujours. Nous sommes encore, par combien de traits, semblables aux Gaulois nos ancêtres, et les caractéristiques que Tacite notait chez les Barbares ou les juifs de son temps sont encore reconnaissables dans les Allemands, les Israéliens d'aujourd'hui. » Mais dans ce même essai, qui s'intitule *L'Âme des peuples*, il ajoute, quelques pages plus loin : « Il n'y a pas de race française, l'expression ne signifie rien. Il y a des Germains dans le Nord, des Celtes – ou, si l'on veut, des Alpins – dans le plateau central et dans l'Ouest, des Méditerranéens dans le Sud. Nous sommes, comme le disait Seignobos, une race de métis… L'unité nationale à laquelle nous sommes parvenus n'est pas fondée sur la race. Les origines ethniques peuvent être distinctes, mais, à la différence de l'Angleterre ou de l'Allemagne, il n'est aucune des races qui ait dominé les autres : tous les Français, qu'ils se rattachent au tronc germain, alpin ou méditerranéen, se considèrent comme étant Français au même degré, sans aucune inégalité résultant du sang qui coule dans leurs veines (en dirais-je autant de l'Anglo-Saxon britannique à l'égard du Celte ?).»

Dans cet essai, publié au soir de sa vie, ce qui se détache, ce qui frappe, ce n'est pas sa vision des peuples, somme toute conforme à l'esprit de son temps, mais la comparaison qu'il opère, comme Stefan Zweig dans *Le Monde d'hier*, entre les deux siècles qu'il a connus, et sa préférence évidente pour le premier : «Le XIXe siècle se croyait de bonne foi nationaliste et impérialiste. En réalité il était internationaliste et libéral… Il avait presque réalisé l'unité économique de la planète. Le monde tend maintenant à se diviser en grandes unités politico-économiques, compartimentées, puissamment armées militairement et économiquement, en fait totalitaires ou tentées par une sorte de nécessité de le devenir. Les marchandises ni les hommes ne circulent plus librement… Nos pères – comme nous-mêmes dans notre jeunesse – croyaient d'une foi inébranlable au progrès et n'eussent pas songé à concevoir la terre promise ailleurs que dans l'avenir. Il nous arrive de nous demander si elle n'aurait pas par hasard été dans le passé. »

Zweig, en son exil, était arrivé à une conclusion similaire, ce qui l'avait conduit à ne plus vouloir vivre. L'attitude de Siegfried fut différente. Malgré sa vision désabusée de l'avenir, et malgré le cancer qui le rongeait et qui l'amaigrissait à vue d'œil, il poursuivit ses cours jusqu'à la veille de son quatre-vingt-deuxième anniversaire.

Il s'est éteint deux ans plus tard, le 28 mars 1959, à son domicile parisien ; il aurait pu mourir dans son amphithéâtre, comme Molière sur scène, en pleine représentation.

17

Celui que fascinaient les cycles du soleil

Le 21 septembre 1972, jour de l'équinoxe d'automne, Henry de Montherlant, dans son appartement du quai Voltaire, croqua une ampoule de cyanure, puis, craignant que le poison fût éventé, se tira une balle dans la gorge ; il avait laissé une note à l'intention de ceux qui le découvriraient, les priant de s'assurer qu'il était bien mort avant de l'incinérer. Ses cendres devaient être dispersées à Rome, sur le Forum antique.

Le suicide du dix-septième titulaire de ce fauteuil n'a pas beaucoup surpris ceux qui le connaissaient. Il n'avait cessé de dire et d'écrire que, le jour où la vie deviendrait pour lui source de souffrance plutôt que de plaisir, il la quitterait. Or, les derniers temps, il avait le sentiment de décliner rapidement. Il avait perdu l'usage d'un œil, et de l'autre il voyait de moins en moins. Son corps, qu'il avait toujours entretenu à la manière des athlètes antiques, devenait lourd et disgracieux. Cent petites misères l'affectaient, qui ne pouvaient que s'aggraver avec l'âge. Il redoutait de se retrouver impotent, diminué, et soumis au bon vouloir des autres. Pourquoi laisser sa vie s'achever dans l'humiliation, se

demandait-il, alors qu'il l'avait conduite jusque-là fiè-
rement, et selon ses désirs ? Tout n'avait pas été rose,
bien sûr. Il avait eu des moments de grande frayeur, où
il avait redouté de tout perdre. Mais les choses s'étaient
arrangées, il avait été célébré, applaudi, ovationné, il
avait reçu plus d'honneurs qu'il n'en demandait. Il n'en
recevrait plus. N'était-ce pas le bon moment pour tirer
sa révérence ?

Sa première jeunesse s'était écoulée au sein d'une
famille aisée, croyante sans bigoterie, et fière de ses origines – «de petite noblesse, disait-il, mais de noblesse
certaine». Il avait grandi dans des hôtels particuliers,
à Paris d'abord, puis à Neuilly-sur-Seine, un enfant
unique entouré d'une foule d'adultes : ses parents ; ses
grands-parents maternels ; un oncle et un grand-oncle
qui serviront de modèles à son roman *Les Célibataires* ;
sa gouvernante ; le personnel de maison... Les femmes
s'occupaient de lui, les hommes s'occupaient principalement d'eux-mêmes. Dans l'ensemble, tout ce petit
monde s'entendait bien. Henry lisait beaucoup et écrivait déjà, à huit ans, de minuscules livres. Il a toujours
su que sa vie serait façonnée par la littérature.

Un roman surtout exercera sur lui une influence
durable : *Quo vadis ?* de l'écrivain polonais Henryk
Sienkiewicz. Il raconte la persécution des premiers
chrétiens sous l'empereur Néron, et les parents
d'Henry espéraient sans doute, en l'offrant à leur
fils, qu'il attiserait sa foi. Mais c'est tout autre chose
qu'il lui inspira. Le personnage qui le fascina dès la

première lecture, et qui continua à le fasciner jusqu'au crépuscule de sa vie, ce fut Pétrone, l'auteur présumé du *Satiricon*. Il avait été, en son temps, l'arbitre des élégances à la cour impériale. Tacite dit de lui dans ses *Annales* qu'il consacrait le jour au sommeil et la nuit aux devoirs et aux agréments de la vie. «Si d'autres vont à la renommée par le travail, il y alla par la mollesse. L'insouciance même et l'abandon qui paraissait dans ses actions et dans ses paroles leur donnaient un air de simplicité d'où elles tiraient une grâce nouvelle.» L'historien ajoute que lorsque Pétrone apprit qu'il était tombé en disgrâce, il décida de s'ouvrir les veines, «ne supportant pas l'idée de languir entre la crainte et l'espérance».

Quand Montherlant évoqua, bien plus tard dans sa vie, l'influence qu'avait exercée sur lui cette lecture, il eut recours à une image forte. «À huit ans, je baigne dans *Quo vadis?* comme la plaque photographique baigne dans le révélateur chimique.» Et à soixante ans, il relisait encore cette phrase du roman, qu'il avait recopiée sur son calepin: «Celui qui a su vivre doit savoir mourir.»

Le succès du roman de Sienkiewicz en France dans les premières années du XXᵉ siècle n'était pas sans rapport avec le fait que les catholiques se sentaient alors persécutés par des pouvoirs publics résolument anticléricaux qui voulaient mettre en œuvre la séparation entre l'État et l'Église, et qui traitaient avec rigueur les congrégations religieuses.

Montherlant entama sa scolarité dans cette atmosphère tendue. Il racontera plus tard que ses parents étaient si hostiles aux autorités républicaines qu'au début de la Première Guerre mondiale, il les entendait dire que ce ne serait pas une mauvaise chose si la France était battue, et « qu'elle l'aurait bien mérité » après tout ce qu'elle avait fait subir aux catholiques ; c'est plus tard, lors de la bataille de Verdun, qu'ils commencèrent à manifester des sentiments patriotiques.

Pourtant, lorsqu'il leur fallut choisir une école pour Henry, ils accordèrent la priorité à la qualité de l'enseignement plutôt qu'aux considérations doctrinales. Tant qu'ils résidaient à Paris, leur fils fréquenta un excellent lycée public. Et lorsqu'ils déménagèrent à Neuilly, sa mère choisit pour lui un établissement dirigé par des prêtres réputés pour leur républicanisme. Montherlant dira plus tard qu'ils étaient de gauche, et parfois d'extrême gauche. C'est en effet ainsi qu'ils étaient perçus à l'époque, au point que leur mouvement, le Sillon, fut condamné par le pape pour « modernisme social ». En réalité, leur péché était d'avoir prôné avant d'autres la réconciliation plutôt que l'affrontement entre les chrétiens et la République.

Mais ce qui restera de ces années-là dans la mémoire de l'élève ne se rapporte pas à ces querelles. C'est un événement lié à sa vie privée, et qui laissera des traces durables : à dix-sept ans, il fut exclu du collège Sainte-Croix en raison des sentiments d'intense amitié qu'il manifestait envers l'un de ses camarades. Cet incident reviendra souvent sous sa plume : dans son tout premier livre, *La Relève du matin,* publié en 1920; dans plusieurs de ses romans, notamment *Les Garçons*; puis dans l'une de ses principales pièces de théâtre, *La Ville dont le prince est un enfant.* Avec les années, il aura tendance à embellir cette passion d'adolescent, et à la magnifier, la présentant comme le seul grand amour de sa vie. Cependant, il ne la dévoilera qu'avec une extrême lenteur, mettant parfois des décennies à révéler certains détails qu'un autre aurait jetés crûment à la face du monde dès le premier récit. Tel baiser, suggéré dans une page des années vingt, ne sera avoué que dans une page des années soixante. Entre les deux instants, d'autres aventures, des garçons, des jeunes filles, des fiançailles rompues...

Pour certains lecteurs de Montherlant, son approche des relations intimes relève de la pudeur; pour d'autres, de la dissimulation. La controverse autour de sa vie affective le suivra comme une ombre tout au long de son existence, s'amplifiant dans ses dernières années, et encore plus après sa mort.

Il ne s'agit pas tant de savoir s'il aimait plutôt les hommes ou les femmes. Cela, en soi, ne peut faire scandale. Ni aujourd'hui, bien sûr, ni même dans l'entre-deux-guerres. La France de Jean Cocteau et d'André Gide n'avait pas grand-chose à voir avec l'Angleterre d'Oscar Wilde. Les questions qu'ont soulevées certains ouvrages sur Montherlant, et qui sont apparues aux yeux de ses admirateurs comme des paquets de boue, concernent notamment l'âge de ses conquêtes sexuelles, et aussi la cause de certains malheurs qui lui sont arrivés. Par exemple : a-t-il perdu un œil à la suite d'une grave insolation, qui aurait provoqué chez lui des vertiges répétés, et des chutes ? Ou bien lors d'une virée nocturne dans des ruelles sombres, où il aurait été sévèrement tabassé ?

Il est normal de se poser des questions de cet ordre au sujet d'un personnage de grand renom. Reste à savoir si cette controverse brouillera pour longtemps l'image de l'auteur, au point de faire oublier son immense talent, et de compromette la réception de son œuvre.

Dans sa description de Pétrone, que Montherlant avait pris dès sa jeunesse comme modèle, Tacite écrit : « Il n'avait pas la réputation d'un homme abîmé dans la débauche, comme la plupart des dissipateurs, mais celle d'un voluptueux qui se connaît en plaisirs. »

Dira-t-on un jour de l'auteur des *Garçons* la même chose que de l'auteur du *Satiricon* ?

La passion précoce de Montherlant pour l'univers antique fut à l'origine de l'engouement durable qu'il éprouva pour la tauromachie.

Il l'avait découverte lors d'un bref séjour à Bayonne, au retour d'un pèlerinage à Lourdes où sa grand-mère l'avait emmené avec elle. C'était en 1909, il avait quatorze ans. L'année suivante, ses parents le laissèrent partir seul pour l'Espagne, sans se douter que son intérêt pour la corrida ne serait pas seulement esthétique ou littéraire, mais que l'adolescent pourrait avoir envie de toréer lui-même. Ce qu'il fera avec ferveur, et avec talent. Jusqu'en ses dernières années, il continuera à citer avec fierté l'article publié dans un journal de Burgos sur le jeune toréador français, si intrépide, si prometteur. L'écrivain ne renonça à l'arène que le jour où il fut écorné par une bête qui le transperça jusqu'à la périphérie des poumons. Il avait trente ans, et il était en train de mettre la dernière main à un roman entièrement dédié à la tauromachie : *Les Bestiaires*.

C'est l'histoire d'un jeune homme, Alban de Bricoule, auquel une jeune femme, Soledad, promet son amour s'il ose affronter un taureau particulièrement dangereux ; Alban trouve en lui-même le courage de le faire, mais lorsqu'il triomphe, il se détourne de Soledad, ne lui pardonnant pas de l'avoir mis en danger par pur caprice. Le héros est, à l'évidence, l'alter ego de l'auteur ; comme lui, il a lu *Quo vadis ?* dans son enfance, et depuis, il se sent romain, et se dit « électrisé » chaque fois qu'il entend le mot « arène ».

Montherlant parle de la corrida sur un ton qu'il aurait eu du mal à trouver s'il était resté dans les gradins. « Qu'est-ce que ces histoires des manuels, qu'il faut toréer droit ! Il faut toréer courbé, pour se rapprocher de la bête, pour lui communiquer de plus près sa volonté, qui se précipite hors de soi par les yeux, pour qu'elle voie de près votre masque terrible, sourcils froncés, mâchoire en avant, et qu'il lui fasse peur ; il faut toréer de si près qu'on doive lutter, tellement on a soif d'un contact plus intime.»

Par-delà le style vigoureux et l'intrigue, le roman s'efforce d'établir, parfois de manière allusive, mais parfois aussi à travers de longues digressions érudites, que la tauromachie est le vestige d'un culte antique. «Elle allait loin, cette religion du Taureau, dont Alban était le fidèle, elle se perdait dans les âges.» Et d'évoquer l'Indra védique, les jeux taurins de Crète, le Minotaure, Jupiter s'incarnant en taureau pour séduire Europe. Et plus que tout le dieu Mithra, «le tauroctone», «le mâle du troupeau» et «l'ami du Soleil», dont le culte s'était répandu dans l'Empire romain aux premiers siècles de notre ère. «Christianisme et mithraïsme avaient âprement lutté, explique Montherlant, à cause même de leurs analogies. Renan n'avait-il pas écrit que "si le christianisme eût été arrêté par quelque maladie mortelle, le monde eût été mithriaste"? Le clergé mithriaste avait reproché aux chrétiens nombre d'emprunts, entre autres d'avoir plagié, dans leur "purification par le sang de l'Agneau", la purification par le sang du taureau.» L'auteur précise, parlant des sentiments d'Alban au moment où il s'apprêtait à rejeter Soledad: «Une autre pensée le soutenait: c'était que Mithra n'avait jamais eu de relations avec une femme. Les femmes étaient exclues de la participation à ses mystères.»

Les Bestiaires évoquent également une «découverte» d'Alban, c'est-à-dire d'Henry, que la plupart des gens auraient simplement trouvée amusante, mais qui, pour lui, allait avoir des conséquences durables et tragiques : il était venu au monde dans la nuit du 20 au 21 avril. Or, cette dernière date était celle de la fondation de Rome, célébrée dans toute l'Italie. « Coïncidence enivrante », commente l'auteur, avant d'y ajouter une autre, qui allait encore le bouleverser : c'est également dans la nuit du 20 au 21 avril que le Soleil entre dans le signe zodiacal du Taureau, « ce pourquoi les Chaldéens et les Perses y plaçaient le commencement de la création ! ». Estimant que c'étaient là « les signes éclatants de sa prédestination », Montherlant va désormais se laisser guider par des considérations de cette nature. Et cela jusqu'à son dernier jour – ce n'est pas par hasard qu'il choisira pour sa mort l'équinoxe d'automne. Cette dernière notion, et celle de solstice, ainsi que diverses expressions à connotation « solaire », reviendront souvent dans son œuvre, comme dans sa vie, le conduisant parfois à de tristes égarements.

Mais à la publication des *Bestiaires,* aucune ombre ne vient assombrir le tableau. L'auteur, qui a trente ans, a toutes les raisons d'être satisfait. L'accueil est chaleureux, chez les critiques comme parmi le public. Et surtout chez les passionnés de tauromachie. On sait, par exemple, qu'Ernest Hemingway trouva le livre dans une librairie parisienne et qu'il le lut avec passion ; s'il faut en croire certains connaisseurs de son œuvre, il aurait même subi son influence.

Montherlant semble avoir été à la fois comblé et ennuyé par ses premiers succès littéraires. Son rêve de devenir un écrivain reconnu était en voie de se réaliser, mais il avait également envie de poursuivre un autre de ses rêves, moins noble et cependant indispensable à ses yeux : la volupté. Plutôt que de se répandre dans les salons parisiens, il décida de s'éclipser. Il vendit sa maison familiale, et s'en fut vivre au sud de la Méditerranée, écrivant un peu, s'amusant beaucoup, poursuivant ses plaisirs à sa guise, sans retenue.

Au bout de trois ou quatre années d'élégants vagabondages et de conquêtes faciles, il éprouva une grande lassitude, et décida de redonner une direction à son existence. Par la littérature, bien entendu. Il loua un appartement à Alger, et s'attela à un roman : *La Rose de sable*. Le ton était si violemment anticolonialiste et même carrément antifrançais, qu'au dernier moment, il renonça à le publier, préférant le laisser dormir dans ses tiroirs. Il ne le sortira que des décennies plus tard, en expliquant que lorsqu'il l'avait terminé, dans les années trente, Mussolini et Hitler étaient déchaînés contre la France et son empire colonial, et qu'il ne voulait pas apporter de l'eau à leur moulin. C'est à ce livre que fit allusion le confrère qui le reçut à l'Académie française, le duc de Lévis-Mirepoix, lorsqu'il lui parla de «l'Islam qui vous est cher».

À son retour en France, il fit preuve d'une frénésie d'écriture, comme pour compenser sa relative paresse des années précédentes. En 1934, il publia *Les Célibataires*, puis inaugura, en 1936, un cycle romanesque en quatre volumes, *Les Jeunes Filles*, qui connut un immense succès, même s'il le fit accuser de misogynie.

En ces années-là, la nouvelle grande guerre était dans tous les esprits. On n'y était pas encore, mais on s'en rapprochait chaque jour. En 1938, Montherlant publia un essai intitulé *L'Équinoxe de septembre*, où il évoqua la montée du nazisme dans les termes suivants : « La croix gammée est un dérivé de la roue à quatre rayons, et du disque, qui représentaient anciennement le soleil. C'est sous ce signe que les dernières armées païennes combattirent, au IVe siècle, contre les troupes de Constantin, qui arboraient la croix du Christ ; ces mêmes signes s'affrontent dans l'Allemagne d'aujourd'hui. »

Ce qui était périlleux dans cette explication « romanisante » des événements modernes, c'est qu'elle amenait l'auteur à se montrer complaisant, pour des raisons uniquement liées au maniement des symboles, envers une idéologie qui n'était pas du tout la sienne. Cette dérive allait apparaître plus clairement dans un autre essai, intitulé *Le Solstice de juin*, et publié en 1941, au lendemain de la défaite de la France et de l'invasion de son territoire par les tenants de la croix gammée. « La victoire de la Roue solaire n'est pas seulement victoire du Soleil, elle est victoire du principe solaire », y écrit-il. Avant d'ajouter : « Je vois triompher en ce jour le principe dont je suis imbu. »

S'étant fourvoyé de la sorte, Montherlant ne pouvait que déraper, ce qu'il ne manqua pas de faire dans les dernières pages de l'essai, en prodiguant à ses compatriotes un chapelet de conseils : «Pas de lamentations, d'abord… Pas de bouderie. Pas de petite fronde, puérile et sordide, par laquelle on se donne l'illusion ou le masque du patriotisme : c'est avant et pendant qu'il fallait chercher à embêter l'adversaire, non après. Pas de violence… Pour une fois, être beau joueur. Ne pas entrer dans l'avenir en rechignant. Nous retourner du tout, et dire oui, de bon cœur, à ce qui vient d'arriver. Double acceptation : de la réalité en tant que telle ; puis d'un événement juste : nous avons été battus on ne peut plus régulièrement, et à tous les degrés. Acceptation. Ensuite, adhésion…»

Ces propos, publiés dans une France occupée par une armée ennemie, ne pouvaient passer inaperçus. Désormais, chaque fois que les résistants appelleront dans un journal clandestin ou dans un tract au châtiment des traîtres et des «collabos», Henry de Montherlant figurera en bonne place sur la liste. Comment aurait-il pu en être autrement ? Ses mots étaient d'une telle clarté !

Ceux qui connaissaient bien l'homme savaient pourtant qu'il y avait malentendu. Contrairement à ce que ses propos semblaient annoncer, jamais il n'écrira dans les journaux collaborationnistes, jamais il ne se rendra dans l'Allemagne nazie, jamais il ne versera dans l'antisémitisme. Ces postures et ces croyances n'étaient aucunement les siennes. Et il n'était pas non plus de ceux qui voulaient la paix à n'importe quel prix. Il avait une certaine éthique de la vaillance qui lui faisait désirer le combat, fût-il sans espoir, plutôt que l'accommodement dans la honte. Quand la France et l'Angleterre signèrent, fin septembre 1938, les accords de Munich dans l'illusion d'apaiser Hitler, Montherlant se montra outré que l'on se fût prosterné ainsi devant «le Jupiter à la mèche». Et quand l'inévitable conflit finit par éclater, il se fit correspondant de presse pour pouvoir aller sur le front, alors qu'il n'était pas mobilisable. Lui qui était revenu de la Première Guerre mondiale criblé de sept éclats d'obus, il allait être blessé, cette fois encore, assez grièvement, à l'aine. Peu de gens pouvaient s'enorgueillir, comme il le faisait quelquefois à la fin de sa vie, de porter dans leur chair les traces de deux guerres mondiales et d'une corne de taureau.

S'il se retrouva malgré tout à prôner la résignation et la soumission, c'est parce que le comportement de ses compatriotes en 1940 l'avait outré. Son *Solstice de juin* – maladroit, inopportun, truffé d'idées fumeuses, bien que magnifiquement écrit – était un geste de dépit. Montherlant voulait dire aux siens : Si vous n'avez pas envie de vous battre, vous ne méritez pas de gagner ; dans ce cas, soumettez-vous ! C'est le genre de propos qu'un entraîneur de boxe aurait pu tenir à son poulain après un mauvais round, afin de susciter chez lui un sursaut. Mais ce n'est certainement pas ce qu'un auteur jouissant d'un grand prestige pouvait dire et publier dans un pays vaincu, occupé, humilié, meurtri, et de surcroît amèrement divisé sur l'attitude à adopter face au désastre. Chaque mot prononcé dans pareilles circonstances situe son auteur d'un côté ou de l'autre de la ligne de partage.

Montherlant comprit assez vite qu'il aurait dû se taire, mais c'était trop tard, le mal était fait, il ne pouvait plus retirer ce qu'il avait déjà écrit noir sur blanc. De ce fait, à la Libération, il s'attendait au pire. Et il eut, en effet, des moments de frayeur. Comme en cette journée de 1945 où il fut convoqué à la Préfecture de police, quai des Orfèvres. Un autre grand écrivain était déjà là, qui s'était impliqué, quant à lui, dans la collaboration active : Marcel Jouhandeau. Celui-ci rapporte, dans son journal : « On avait eu la délicate attention de nous faire asseoir côte à côte en face d'une brochette de prostituées, arrêtées la veille sur les trottoirs de Paris et dont les policiers de service venaient de temps en temps agacer le menton. » Montherlant raconte, de son côté : « Jouhandeau se lève quand j'entre dans la pièce des inspecteurs et vient me voir. Il a l'air d'un prêtre. Manifestement, il est dans un autre monde. Manifestement, il est innocent, comme moi. Je veux dire un innocent de grand type... Nous sommes emportés dans un car de police jusqu'à la rue Boissy-d'Anglas, où nous attendons longuement. Je persuade Jouhandeau que notre affaire prend mauvaise tournure, et il dit que maintenant, il le croit aussi. Il pensait que, pour lui, ce serait fini en une demi-heure. Il dit qu'on veut des têtes et que tous les autres étant morts ou en fuite, on prend ceux qu'on a sous la main ; que nous tombons au plus mauvais moment... Enfin, tandis que nous étions dans les plus sombres pronostics, un inspecteur vient nous dire : "Messieurs, vous pouvez disposer. Une instruction est ouverte contre vous. Tenez-vous à la disposition de la justice."»

Montherlant sera à nouveau convoqué, plus d'une fois, devant diverses instances, sans qu'aucune charge soit retenue contre lui. Cet épisode malheureux laissera chez lui des traces ; il en deviendra plus sombre, plus ombrageux, plus solitaire encore qu'il ne l'était. Mais, tout compte fait, il avait échappé au pire.

★ ★
★

Le faux pas que fut *Le Solstice de juin* allait même avoir, paradoxalement, des conséquences heureuses pour son œuvre. En effet, peu de temps après la sortie du livre, et alors qu'il commençait à comprendre qu'il avait manqué de jugement, il reçut de l'administrateur de la Comédie-Française une demande qui allait se révéler providentielle : serait-il prêt à écrire une pièce inspirée d'un épisode de l'histoire d'Espagne au XIVe siècle ? Il dit oui. Ce fut *La Reine morte*. Montherlant prit immédiatement goût à l'écriture théâtrale. Désormais, il y consacrera l'essentiel de son temps, délaissant les romans, qui avaient fait son succès avant guerre, ainsi que les essais, qui l'avaient égaré. Il se dira sidéré par la facilité du genre. «Un roman, expliquera-t-il un jour à un admirateur, ça se laboure péniblement avec une charrue de l'âge des Pharaons, on sue, on se tue de travail pendant deux ans. Écrire une pièce, au contraire, c'est trois semaines de rien du tout. On arrose un désert d'un verre d'eau, et, sans fatigue, on voit naître un baobab.»

Les pièces se suivront, et plusieurs seront jouées des centaines de fois du vivant de l'auteur : *Fils de personne, Malatesta, Le Maître de Santiago, Port-Royal, Le Cardinal d'Espagne*, etc. Sa renommée de dramaturge fut si grande qu'elle éclipsa ses écrits antérieurs. Des générations entières ne l'ont connu que par son théâtre. Certaines de ses tragédies furent inspirées par des personnages et des événements de l'histoire européenne ; d'autres, par des épisodes de sa propre vie ; il tenta même d'évoquer, dans *Demain il fera jour*, le temps de la Seconde Guerre et de l'occupation allemande. Mais ce fut un échec. Sur ce thème, le public n'avait toujours pas envie de l'entendre.

Ce furent également ses succès au théâtre qui le firent désirer ardemment par l'Académie française. On tenait tellement à l'avoir qu'on se montra prêt à lui passer quelques caprices. Même les membres qui, tel François Mauriac, s'irritaient de le voir «jouer au Romain», reconnaissaient son immense talent et tenaient à se l'adjoindre. Trop de grands auteurs avaient, au fil des siècles, manqué au palmarès de la Compagnie ; pour des raisons qui, sur le moment, semblaient valables, mais qui, avec le recul, parurent futiles. On ne voulait pas avoir à regretter un jour d'être passé à côté d'un écrivain comme Montherlant.

On prit donc contact avec lui. On lui parla du fauteuil laissé vacant par la mort d'André Siegfried; on lui promit une élection facile, à l'unanimité ou presque, et sans qu'il ait besoin d'effectuer les visites d'usage. Plus tard, quand on lui rappelait ce fait, il rétorquait que, juste après le vote, il avait effectué «trente-cinq visites de remerciements». Ce n'était sûrement pas vrai, mais il était élégant de le dire.

Le nouvel académicien mit du temps à faire son discours. Élu en mars 1960, il ne fut reçu qu'en juin 1963; et ce ne fut même pas, au sens propre, «sous la Coupole». Affirmant qu'il redoutait les grandes foules et les fortes lumières, il demanda à parler en petit comité, ce qui le dispensa d'avoir l'habit vert et l'épée.

Ses premières phrases furent légèrement morbides, mais pas vraiment surprenantes pour ceux qui connaissaient le personnage. «L'article 18 des statuts de l'Académie oblige le récipiendaire, après avoir fait l'éloge de son prédécesseur, à – je cite le texte – "traiter quelque sujet de littérature". Il m'avait semblé qu'à la suite d'une oraison funèbre rien n'était plus convenable que de traiter ce sujet-ci: *L'écrivain devant sa mort prochaine. L'écrivain devant la mort prochaine de son œuvre...*»

Finalement, il préféra laisser ce thème de côté, dit-il, pour se contenter de parler de Siegfried. Ce qu'il fit sur un ton mi-figue mi-raisin, désinvolte sans jamais paraître désobligeant; mais sans jamais être, non plus, sincèrement élogieux; constamment dans une semi-dérision, comme s'il adressait des messages codés à un public de gamins rigolards. «André Siegfried est l'homme du concret, dit par exemple Montherlant. Il s'y ébat comme dans la baie d'Antibes. Chiffres, dates, statistiques, graphiques, cartes, et puis d'autres statistiques, d'autres graphiques, d'autres cartes sur le même sujet, faits à une autre date. Ah! nous n'avons pas affaire à un abstracteur de quintessence!»

Les confrères qui assistaient à sa prestation furent étonnés de le voir consacrer plusieurs minutes au tout premier livre de son prédécesseur, publié en 1904, sur *La Démocratie en Nouvelle-Zélande*. Commentaire du successeur: «Je n'avais jamais entendu parler de la Nouvelle-Zélande, et les compatriotes auprès de qui je m'informai n'en savaient pas plus que moi: l'un me dit que c'était la Thaïlande d'aujourd'hui, l'autre que c'était une presqu'île située au nord de la Finlande.»

Montherlant énuméra ensuite les raisons pour lesquelles il avait finalement décidé de ne pas parler de la mort des auteurs et de leurs œuvres. Avant de retourner, une dernière fois, à Siegfried.

«Faisons-lui cette triste et dernière courtoisie. Nous l'avons quitté en disant qu'il n'avait pas beaucoup parlé de la mort. Et enfin il est mort, lui aussi… Le voici nu, tel qu'il apparaîtra dans la vallée de Josaphat, je dis cela puisqu'il était chrétien. C'en est fini de la curiosité. C'en est fini des aéroplanes. C'en est fini de l'importance. Et vous voici plus proche de moi, Monsieur, qui vous ai succédé ici, et qui dans peu de temps vais vous suivre où vous êtes. Il y a une amitié dans l'après-mort, comme dans ces ossuaires que hantait ma jeunesse, où tous les corps à ce point se ressemblaient; bientôt on va pouvoir nous prendre l'un pour l'autre, ce qui était difficilement concevable pendant nos vies. Pour en arriver là, ce n'était pas la peine que je vous contrarie un peu dans ce discours.»

En effet, ce n'était peut-être pas la peine.

18

Celui qui chérissait les cultures fragiles

Contrairement à son prédécesseur, Claude Lévi-Strauss n'éprouvait ni impatience ni dédain envers les rituels. Bien au contraire, il posait sur eux un regard caressant, qui les embellissait; et il s'y conformait avec délectation. C'est même à travers eux, en déchiffrant leurs codes séculaires, qu'il s'efforçait de comprendre les communautés humaines. Toutes, sans exception. Les plus chétives comme les plus étincelantes. Lors de sa réception sous la Coupole, le 27 juin 1974, il consacrera les dix premières minutes de son discours à une comparaison soigneuse entre le cérémonial de l'Académie française et les rites d'initiation pratiqués par les populations amérindiennes de la côte pacifique du Canada. Une manière à la fois provocatrice et plaisante d'informer ses nouveaux confrères de ce qui a toujours été son credo : la mission de l'anthropologue, ce n'est pas d'étudier les sociétés « sauvages », « primitives » ou « exotiques »; sa mission, c'est d'étudier l'homme, tout simplement; dans sa diversité, bien sûr, mais également et avant tout dans son unité profonde, qui va au-delà de toutes les dissemblances; parce qu'il y a en l'Autre quelque chose de nous, et en nous quelque chose de l'Autre, et qu'il est important que nous en prenions conscience afin de mieux nous connaître nous-mêmes.

Les rites de votre vénérable tribu, dira-t-il en substance à ses confrères interloqués, ne sont aucunement dévalorisés par leur similitude avec ceux de telle ou telle autre communauté humaine – immémoriale, déboussolée, et fière de ses déguisements ; ils en acquièrent, bien au contraire, un supplément de raison d'être, et un supplément de noblesse. «Je viens à vous, Messieurs, pareil à ces vieux Indiens que j'ai connus, résolus à témoigner jusqu'à la fin pour la culture qui les a faits, même si celle-ci est ébranlée, et surtout si d'aucuns se plaisent à la dire condamnée.»

Sa tendresse envers les cultures fragilisées, Lévi-Strauss l'avait acquise dès son plus jeune âge. Ses propres parents connaissaient, à la veille de sa naissance, une période de désarroi et de précarité. Son père était un peintre portraitiste, et il pâtissait de l'émergence d'un nouvel art qui était en train de rendre le sien totalement obsolète : la photographie. La famille avait même décidé de partir pour Bruxelles, où certains notables n'avaient pas encore renoncé à se faire peindre comme autrefois. C'est ce qui explique que le futur académicien soit né en Belgique plutôt qu'en France, le 28 novembre 1908.

Tout au long de son enfance, il voyait son père se démener pour maintenir l'art si vénérable qu'il pratiquait, et qu'une invention révolutionnaire venait d'anéantir. Ce qui lui fit sentir très tôt que la notion de progrès était complexe, et difficile à cerner ; que le changement n'était pas toujours forcément un progrès ; et que le progrès lui-même avait deux faces, l'une resplendissante, l'autre sombre. De ce fait, lorsqu'il se rendit au Brésil, à l'âge de vingt-six ans, et qu'il y découvrit des populations amazoniennes qui se débattaient désespérément pour tenter de préserver quelque temps encore leur mode de vie et leurs pratiques ancestrales, il ne posa pas sur elles le regard froid de l'entomologiste devant une colonie de termites ; il s'identifia spontanément à ces frères lointains et compatit à leurs angoisses comme à leurs souffrances. Il est significatif, d'ailleurs, que la première conférence publique qu'il donna à São Paulo en 1935, et dont le texte s'est malheureusement perdu, se soit intitulée : « La crise du progrès ».

Un thème qui était dans l'air du temps. Le monde avait connu, depuis le krach boursier de 1929, une débâcle économique sans précédent, qui avait précipité des dizaines de millions de personnes dans la misère, et provoqué des bouleversements politiques majeurs. Des idéologies violentes séduisaient à présent les foules, et menaçaient d'embarquer toutes les nations dans une nouvelle guerre mondiale, alors qu'on sortait à peine de la première, qui avait été une abominable boucherie. Qu'étaient donc devenues toutes les promesses du progrès ? N'avait-on pas laissé croire aux classes moyennes qu'elles ne retomberaient plus jamais dans la pauvreté ? N'avait-on pas dit que la Grande Guerre serait la dernière ? N'avait-on pas cru que la science et l'industrie allaient régler tous les problèmes des hommes, et les engager résolument sur le chemin de la prospérité ?

Ces interrogations ne pouvaient que prendre une signification particulière pour un jeune ethnologue venu d'Europe à la rencontre de populations réputées « sauvages » et « primitives ». Doté d'une conscience morale vive et d'une intelligence subtile, Lévi-Strauss devait forcément constater que les lignes de séparation entre « civilisés » et « non-civilisés », entre « nations avancées » et « peuplades arriérées », étaient quelque peu brouillées. Ce qui le persuadera de ne pas confondre « la théorie scientifique de l'évolution des espèces » avec « la pseudo-théorie de l'évolutionnisme culturel », selon laquelle les sociétés humaines passeraient par divers stades d'avancement, comme l'individu passe de l'enfance à l'adolescence, puis à l'âge adulte. « En vérité, il n'existe pas de peuples enfants ; tous sont adultes, même ceux qui n'ont pas tenu le journal de leur enfance et de leur adolescence », souligne-t-il dans *Race et histoire*.

Cet essai fut écrit en 1952 à la demande de l'Unesco, et dans un but fort ambitieux. La Seconde Guerre mondiale avait été provoquée par un mouvement politique fondé sur le racisme ; et, même parmi les vainqueurs, l'idée d'une supériorité de l'homme blanc était encore profondément ancrée comme justification du colonialisme ou de la ségrégation ; la jeune « Organisation des

Nations unies pour l'éducation, la science et la culture»
prenait très au sérieux la mission qui lui avait été confiée
dès la première phrase de sa charte, à savoir que «les
guerres prenant naissance dans l'esprit des hommes,
c'est dans l'esprit des hommes que doivent être élevées
les défenses de la paix». Dans ce but, elle avait eu l'idée
de commander à une poignée de personnalités compé-
tentes et respectées des textes qui pourraient servir de
base à cette nouvelle vision du monde.

Il n'est pas étonnant qu'on ait songé à Lévi-Strauss
pour cet apostolat. Par son parcours, par sa sensibilité
propre autant que par sa science, il était l'homme qu'il
fallait.

Après avoir passé quatre ans à étudier les communautés amazoniennes, il était rentré à Paris en 1939,
pour être aussitôt nommé professeur de philosophie
au prestigieux lycée Henri-IV. Mais il n'avait jamais
pu rejoindre son poste. Début septembre, il était déjà
sous les drapeaux, du côté de la tristement célèbre
ligne Maginot. Ce fut, dans les premiers mois, la «drôle
de guerre»: pendant que l'Allemagne nazie attaquait
à l'est, les troupes françaises, au lieu de la prendre
à revers par l'ouest, attendirent qu'elle en ait fini, et
qu'elle soit revenue les attaquer à leur tour. Et ce fut
aussitôt la débâcle. Le régiment du soldat Lévi-Strauss
battit en retraite, erra quelque temps sur les routes

avant d'échouer à Montpellier, dans une caserne, hagard, déboussolé, désœuvré.

Se déroula alors une scène ahurissante, que l'anthropologue se plaira dans son grand âge à raconter avec le sourire, mais qui était révélatrice d'un état d'esprit qui aurait pu avoir les pires conséquences. L'armistice étant signé, Lévi-Strauss estima qu'il était temps pour lui de rejoindre son poste d'enseignant à Henri-IV. Le pays se trouvait divisé en deux zones : la moitié nord, qui incluait Paris, était directement sous occupation allemande ; la moitié sud était nominalement « libre », sous l'autorité de l'« État français » dirigé par Pétain. Pour regagner son lycée, le professeur avait besoin d'une autorisation spéciale de l'Éducation nationale. Il se rendit à Vichy, que le maréchal venait d'ériger en capitale provisoire. « Le ministère était installé dans une école communale, et la direction de l'enseignement secondaire siégeait dans une salle de classe : le responsable m'a regardé, éberlué : "Avec le nom que vous portez, m'a-t-il dit, aller à Paris ? Vous n'y pensez pas !" À ce moment seulement, j'ai commencé à comprendre. »

Cette « totale inconscience » qu'il admettait volontiers, et dont il souriait, mais qui aurait pu le conduire vers les camps de la mort, il l'expliquait par le fait qu'il avait été totalement immergé dans l'univers des Amérindiens, et que les nouvelles du vieux continent ne lui arrivaient presque plus. « J'ai appris les accords de Munich en Amazonie, en trouvant un vieux journal qui traînait par terre dans la hutte d'un chercheur de caoutchouc. » Il mentionnait d'autres raisons encore : le classement de ses collections d'objets ethnographiques, qui l'accaparait; la séparation d'avec sa première femme; ou le fait de ne pas avoir «la tête politique». Mais jamais il n'évoquait la raison qui, pour l'observateur extérieur, paraît la plus évidente: son désir bien français, bien républicain, bien laïc, de ne pas définir son identité en fonction de la religion de ses pères, et de ne pas laisser ce facteur influencer son jugement. Il mit du temps à accepter le fait qu'on n'était pas entièrement libre de déterminer son identité, et que le regard de l'Autre y contribuait grandement – quelquefois de manière tragique.

Fort heureusement pour Lévi-Strauss, il se trouva des gens pour le préserver des conséquences de son si noble aveuglement. Ce brave fonctionnaire vichyssois qui, pour de bonnes ou de mauvaises raisons, lui aura évité l'humiliation et peut-être la mort. Et surtout les amis qui s'activèrent en ces années sombres pour l'inclure dans un programme de la fondation Rockefeller qui visait à sauver un certain nombre de savants européens menacés par les persécutions, et à leur offrir des postes dans les universités américaines.

Ce programme se révéla providentiel. Non seulement il le protégea des malheurs qui se seraient inévitablement abattus sur lui s'il était resté en France, mais il le mit, de surcroît, au contact des scientifiques les plus éminents de son époque, notamment des ethnologues et des linguistes, ce qui lui permit d'épanouir en quelques années ses potentialités.

D'ailleurs, par-delà le cas particulier de Lévi-Strauss, le départ des savants européens outre-Atlantique, surtout à partir de l'arrivée des nazis au pouvoir en Allemagne en 1933, allait avoir des effets durables au plan global. C'est en ces années-là que le centre de gravité intellectuel et scientifique de la planète s'est déplacé de l'Europe vers les États-Unis. En très peu de temps, les universités de ce pays sont devenues le lieu privilégié de l'invention et de l'excellence, dans toutes les disciplines, et avec des conséquences économiques, politiques et militaires majeures. Le cas d'Albert Einstein, parti de Berlin pour s'installer définitivement à Princeton, dans le New Jersey, est le plus emblématique ; mais il y en a des centaines, des milliers d'autres, dans tous les domaines du savoir.

Se retrouver, à trente-deux ans, et jusqu'à quarante ans, dans un environnement aussi stimulant, a constitué pour Lévi-Strauss une chance inespérée. À son retour du Brésil, il n'avait presque rien publié encore, et si sa carrière d'agrégé de philosophie s'était déroulée comme il le prévoyait et souhaitait, son aventure amazonienne serait restée comme une curiosité dans son parcours. L'histoire, en le secouant jusqu'au tréfonds de son âme, lui a donné l'occasion de tirer le meilleur de lui-même.

Il ne revint de New York en 1948 qu'après avoir écrit *Les Structures élémentaires de la parenté,* un ouvrage qui établira aussitôt sa renommée de grand ethnologue, et qui sera partiellement à l'origine d'un vaste mouvement intellectuel, le structuralisme, qui verra en Lévi-Strauss l'un de ses inspirateurs. Lui-même ne voudra jamais se présenter comme le porte-drapeau d'une école de pensée; de son point de vue, la notion de «structure» était un outil d'investigation, pas le fondement d'une doctrine. Il sut si bien garder ses distances que, lorsque la mode du structuralisme finit par s'essouffler, son image à lui n'en fut aucunement ternie.

★   ★

★

En 1952, donc, lorsque l'Unesco conçut le projet d'une série de brochures visant à réfuter les préjugés racistes, Lévi-Strauss apparaissait comme l'auteur idéal. Il avait lui-même souffert du racisme, puisqu'il avait été contraint à l'exil pour la seule raison qu'il portait un nom juif; et il possédait la crédibilité scientifique qu'il fallait pour parler de ces questions avec autorité. De plus, son intérêt pour la question n'était pas strictement académique. Comme il l'expliquera souvent dans ses écrits, l'anthropologie n'était pas simplement pour lui une discipline parmi d'autres, mais «le point d'aboutissement d'une attitude intellectuelle et morale qui a pris naissance il y a plusieurs siècles et que nous désignons par le mot d'humanisme». Il s'attela donc, avec autant de rigueur que de passion, à la tâche qui lui avait été confiée.

Contrairement aux autres opuscules qui furent commandés dans le même but, *Race et histoire* eut un retentissement durable. Et il provoqua des controverses. Notamment celle qui opposa l'auteur à l'un de ses futurs confrères de l'Académie française, Roger Caillois.

Grande figure intellectuelle de ces années-là, romancier, poète, essayiste et sociologue, grand connais-
seur de l'Amérique latine, et de surcroît directeur à
l'Unesco, on aurait pu penser qu'il serait favorable aux
idées exprimées par Lévi-Strauss. Mais il se montra
irrité par ce qu'il perçut comme un dénigrement de
l'Occident. Dans un long article intitulé *Illusions à
rebours* et publié dans la *Nouvelle Revue française*, il iro-
nisa sur ceux qui «ont fait le choix de l'ethnographie
parce qu'un besoin irrésistible de défi les poussait à
préférer la plastique primitive au portail de Chartres,
le jazz à Mozart, et les spasmes de la possession par
les esprits auxquels ils ne croient pas, au culte d'un
dieu auquel ils ne croient pas davantage, mais qui a le
tort d'être celui de leurs pères et celui auquel ils ont
honte d'avoir cru». Avant de conclure : «Leur injustice
à l'égard de leur civilisation est telle qu'ils oublient
qu'elle est jusqu'à présent la seule qui ait produit les
conditions matérielles et spirituelles de leurs propres
recherches. La seule qui permette et qui crée celle de
leur ingratitude.»

Caillois voulait mettre les rieurs de son côté, et il y
avait réussi. Lévi-Strauss, nommément mis en cause,
lui répondit dans *Les Temps modernes*, la revue de
Jean-Paul Sartre, et de manière véhémente : «Diogène
prouvait le mouvement en marchant. M. Caillois se
couche pour ne pas le voir. Il espère ainsi protéger
contre toute menace sa contemplation béate d'une
civilisation – la sienne – à laquelle sa conscience n'a
rien à reprocher.»

Par-delà les indignations et les habiletés des deux écrivains, il y avait au centre de leur polémique une question historique et morale qui demeure ouverte, et dont les termes pourraient se résumer comme suit : de nos jours, il ne fait plus de doute qu'une civilisation, celle de l'Occident, est devenue *la* civilisation de référence pour l'humanité entière, et que son ascension a eu pour conséquence de marginaliser, et quelquefois d'oblitérer, toutes les autres ; reste à savoir si les tenants des civilisations vaincues ont obtenu, matériellement et intellectuellement, de quoi compenser ce qu'ils ont perdu en termes d'identité propre et de mode de vie. C'est là un débat qui se poursuit, et se poursuivra longtemps encore, sous diverses formes. Notamment sur le point de savoir si le bilan de la colonisation d'hier ou de la mondialisation d'aujourd'hui devrait être jugé globalement positif, ou globalement calamiteux.

Pour Caillois, l'apport de l'Occident à l'ensemble de l'humanité a été si extraordinaire, et dans tant de domaines, qu'il faudrait être bien grincheux, ou animé par la haine de soi, pour ne pas l'admettre ; alors que Lévi-Strauss jugeait inacceptable qu'une civilisation, fût-elle la sienne, fût-elle la plus brillante de toutes, se permette d'écraser les autres sur son chemin en toute bonne conscience. Comment pouvait-on demeurer ainsi dans la «contemplation béate», alors qu'on venait d'avoir, au cœur même de l'Europe, une démonstration de la barbarie inimaginable de ceux qui prônaient avec le plus d'acharnement la suprématie de l'Occident et de la race blanche ? «Le barbare, c'est d'abord l'homme qui croit à la barbarie», avait-il écrit. Ce à quoi son contradicteur avait répondu : «Une telle phrase ne conduit à rien moins qu'à faire des Grecs et des Chinois les barbares par excellence, dans la mesure où ils se sont définis comme les civilisés par rapport à la barbarie environnante, au-dessus de laquelle c'est malgré tout leur mérite et leur gloire de s'être hissés.»

Le débat entre les deux hommes se prolongea quelques mois encore sous les yeux d'une intelligentsia française d'autant plus attentive qu'on était en plein dans les affres de la décolonisation : l'Indochine venait d'être perdue après la défaite de Diên Biên Phu, et en Algérie venait de commencer la révolte des indépendantistes. Puis la polémique se tut. Non en raison d'une réconciliation, ni seulement par lassitude, mais parce qu'un livre fut publié alors, *Tristes tropiques*, qui a transformé l'image et le statut de Lévi-Strauss, le rendant, du jour au lendemain, bien plus difficile à attaquer.

Pourtant, l'ouvrage aurait bien pu valoir à son auteur les mêmes critiques que *Race et histoire*. Il y proclamait avec toujours autant de fougue son affection pour les communautés amazoniennes «foudroyées par ce monstrueux et incompréhensible cataclysme que fut, pour une si large et si innocente fraction de l'humanité, le développement de la civilisation occidentale». Celle-ci, disait-il, «créatrice des merveilles dont nous jouissons», ne les a pas produites sans contrepartie.

« Ce que d'abord vous nous montrez, voyages, c'est notre ordure lancée au visage de l'humanité. » Il invitait d'ailleurs les touristes à s'abstenir d'aller en Amazonie. « Réservez aux derniers sites d'Europe vos papiers gras, vos flacons indestructibles et vos boîtes de conserve éventrées. Et jusqu'à l'expiration du délai si court qui nous sépare de leur saccage définitif, respectez les torrents fouettés d'une jeune écume qui dévalent en bondissant les gradins creusés aux flancs violets des basaltes. »

Virulent à l'encontre de la civilisation occidentale, l'auteur l'était tout autant envers la civilisation musulmane, avec laquelle il se trouva en contact quand l'Unesco lui confia une mission au Pakistan en 1950. Et comme il n'était pas un homme à la langue de bois, ni un adepte de ce qu'on appellera plus tard le « politiquement correct », il l'exprima dans son livre exactement comme il le sentait.

L'originalité de son approche, c'était de mettre constamment en parallèle les travers du monde musulman et ceux de l'Occident. « Vis-à-vis des peuples et des cultures encore placés sous notre dépendance, nous sommes prisonniers de la même contradiction dont souffre l'Islam en présence de ses protégés et du reste du monde. Nous ne concevons pas que des principes qui furent féconds pour assurer notre propre épanouissement ne soient pas vénérés par les autres… Ainsi l'Islam qui, dans le Proche-Orient, fut l'inventeur de la tolérance, pardonne mal aux non-musulmans de ne pas abjurer leur foi au profit de la sienne, puisqu'elle a sur toutes les autres la supériorité écrasante de les respecter.»

Plus étonnante encore était cette suggestion faite au dernier chapitre de *Tristes tropiques*, et qui semble aujourd'hui si impensable que les éditions ultérieures portent, depuis de nombreuses années, une note de Lévi-Strauss en bas de page disant : «Réflexion anachronique, comme plusieurs autres ; mais il ne faut pas oublier que ce livre fut écrit en 1954.» La suggestion, c'était que la France, qui comptait alors quarante-cinq millions d'habitants, intégrât dans sa population, «sur la base de l'égalité des droits», les vingt-cinq millions de musulmans de son empire colonial. Si elle osait le faire, disait-il, «elle n'entreprendrait pas une démarche plus audacieuse que celle à quoi l'Amérique dut de ne pas rester une petite province du monde anglo-saxon. Quand les citoyens de la Nouvelle-Angleterre décidèrent il y a un siècle d'autoriser l'immigration provenant des régions les plus arriérées de l'Europe et des couches sociales les plus déshéritées, et de se laisser submerger par cette vague, ils firent et gagnèrent un pari dont l'enjeu était aussi grave que celui que nous refusons de risquer».

Un tel coup de dés aurait-il anéanti la France? Aurait-il permis, au contraire, de métamorphoser le monde musulman, et d'éviter ainsi à l'humanité entière les abominations qu'elle connaît de nos jours? On ne le saura jamais. Cette incroyable suggestion témoigne surtout de l'audace du penseur, de la générosité de ses intentions, comme de sa sublime naïveté.

Elle ne provoqua, en tout cas, aucune controverse significative. Il y avait, dans *Tristes tropiques*, un souffle, une ferveur, une grâce, une poésie, qui rendaient superflu tout débat de cet ordre.

★ ★

★

Cet ouvrage allait, en quelque sorte, enluminer le nom de Lévi-Strauss, et transfigurer son personnage. Chose d'autant plus remarquable qu'il l'avait écrit par dépit, et quasiment par désespoir.

Après son retour de son long séjour aux États-Unis et la publication des *Structures élémentaires de la parenté*, il avait tenté, deux années de suite, d'obtenir une chaire au Collège de France, et par deux fois il avait échoué. Furieux, amer, persuadé de n'avoir plus aucun avenir dans l'univers académique et donc plus rien à perdre, il décida de dire sans retenue tout ce qu'il avait sur le cœur. Et dès la première ligne : «Je hais les voyages et les explorateurs.»

Accompagné seulement de sa machine à écrire et de sa femme, Monique, qui le relisait au fur et à mesure, il écrivit d'un seul jet, en six mois, ce long texte foisonnant, à la fois méditation, pamphlet, carnet de route, déclaration d'amour pour la planète et constat indigné sur son délabrement.

Ce livre allait lui ouvrir toutes les portes qu'il croyait irrémédiablement fermées. En 1959, il entrera triomphalement au Collège de France, où il fondera aussitôt son «Laboratoire d'anthropologie sociale».

Ce terme de «laboratoire» mérite qu'on s'y arrête, parce qu'il révèle la véritable ambition de Lévi-Strauss, celle qui comptait le plus à ses propres yeux, mais que la plupart des gens, à son grand dam, ne percevaient pas. Il s'agaçait, en effet, lorsqu'on parlait de lui comme d'un «poète». Un peu comme Claude Bernard s'agaçait, un siècle plus tôt, quand on décrivait la médecine comme un «art». Pour ce lointain prédécesseur, la discipline qu'il pratiquait devait absolument se concevoir comme une science à part entière, avec des expériences, des vérifications, et des lois. Lévi-Strauss avait, dans son propre domaine, la même préoccupation. C'est précisément dans ce but qu'il a voulu nommer son institut d'anthropologie un «laboratoire».

De son point de vue, les sciences sociales et les sciences humaines devaient absolument se transformer en vraies sciences, alors que, jusqu'ici, elles n'ont fait qu'usurper cette appellation. Pour les liens de parenté, par exemple, ou pour le langage, ne pourrait-on pas établir des lois universelles, dès lors qu'il s'agit de prédispositions mentales innées à l'homme et antérieures à toute société particulière?

Mais Lévi-Strauss voulait aller plus loin, beaucoup plus loin encore. «Je suis persuadé, écrivait-il, que les sociétés humaines, comme les individus – dans leurs jeux, leurs rêves ou leurs délires – ne créent jamais de façon absolue, mais se bornent à choisir certaines combinaisons dans un répertoire idéal qu'il serait possible de reconstituer.» En faisant l'inventaire de toutes les coutumes observées, de toutes celles imaginées dans les mythes, «on parviendrait à dresser une sorte de tableau périodique comme celui des éléments chimiques, où toutes les coutumes réelles ou simplement possibles apparaîtraient groupées en familles, et où nous n'aurions plus qu'à reconnaître celles que les sociétés ont effectivement adoptées».

Si cette vision n'est pas une chimère, elle représente le projet le plus ambitieux et le plus fascinant qu'un chercheur puisse concevoir. Et c'est justement à cette tâche qu'il s'était attelé.

De ce fait, on pourrait dire qu'il y a eu, à son propos, un malentendu qui s'est prolongé toute sa vie, et au-delà. Car ce que ses lecteurs, et notamment ses compatriotes, ont aimé en lui, c'est d'abord l'écrivain – sa langue, son style, son souffle, sa grâce, ainsi que sa culture littéraire et artistique ; puis, en deuxième lieu, le penseur ; et en dernier lieu le savant. Alors que, pour lui, c'est le projet scientifique qui aurait dû venir en premier.

Cette «gradation» allait se refléter au sein même de l'Académie française lorsqu'il se porta candidat au vingt-neuvième fauteuil après le suicide de Montherlant. La plume de Lévi-Strauss lui acquit le soutien d'une majorité des membres ; ses opinions lui valurent quelques approbations, mais aussi beaucoup de réticences ; quant à ses travaux scientifiques, ils suscitèrent chez quelques-uns une curiosité polie, et chez d'autres, l'indifférence.

Le résultat du scrutin fut : seize voix en sa faveur, contre dix bulletins marqués d'une croix, qui signifiaient un refus. Une élection confortable, donc, mais moins triomphale qu'on aurait pu s'y attendre. Ou, pour dire les choses autrement : quand on a vécu dans la France de la fin du XXe siècle et des premières années du XXIe, et qu'on a pu observer l'immense prestige dont jouissait Lévi-Strauss et la fierté de ses confrères chaque fois qu'ils mentionnaient son nom, on n'imagine pas que son élection n'ait pas été un plébiscite.

Sa réception solennelle ne fut pas sereine non plus. À la demande du nouvel académicien, ce fut son vieil adversaire Roger Caillois qui fut chargé de répondre à son discours. Une idée noble, et d'une grande élégance morale. Cependant, lorsque l'orateur, voulant déclarer leur dispute définitivement close, jugea utile d'en dire quelques mots à l'auditoire, il se montra incapable de le faire avec détachement. « En 1952, vous écrivez, à la demande de l'Unesco et trop rapidement peut-être, un opuscule, *Race et histoire*, où vous avancez sur l'équivalence des cultures des thèses qui vous deviendront familières et qui ne vont pas sans ingratitude à l'égard des traditions et des disciplines qui vous ont formé. Il provoqua entre nous une querelle, dont je reconnais avoir pris l'initiative. Je rendais hommage à la justesse de chacun de vos arguments, mais j'avouais qu'ils ne me paraissaient guère compatibles entre eux, de sorte qu'il arrivait à votre raisonnement d'en souffrir. Vous m'avez répondu sur un ton, avec une abondance, une véhémence et en usant de procédés polémiques si peu habituels dans les controverses d'idées, que j'en suis, à l'époque, resté pantois. »

Tout ce tapage fut bientôt oublié. Les croix, les reproches, et le reste. C'est ainsi que se perpétue une institution à travers les siècles. Par l'oubli autant que par la mémoire. Qu'on soit élu dès le premier scrutin, ou après plusieurs échecs comme Victor Hugo ; qu'on soit élu par une voix d'avance, ou à l'unanimité ; à l'instant où l'on passe la rampe et où l'on se retrouve au sein de la Compagnie, tout ce qui a précédé n'est plus qu'anecdotes et péripéties. On se retrouve soudain héritier – d'un fauteuil, d'un prédécesseur, et même de toute une lignée, constituée au hasard des décès, des scrutins, des intrigues, des circonstances littéraires, politiques ou autres.

Dans son discours, ce jour-là, Lévi-Strauss jugea important de rappeler à ses confrères que sa réception au sein de la Compagnie s'accompagnait d'une exigence de filiation : « À chacun de vos membres, vous accordez le bénéfice d'une généalogie formée de tous ceux qui, depuis bientôt trois siècles et demi, siégèrent dans le fauteuil qu'il a l'honneur d'occuper ; généalogie en partie fictive, mais l'ethnologue sait qu'il en est de même pour celles qu'il va recueillir à l'autre bout du monde, dès qu'elles prétendent remonter un peu haut. »

⋆ ⋆
⋆

Le dix-huitième titulaire de ce fauteuil vivra plus longtemps qu'aucun académicien avant lui – jusqu'au 30 octobre 2009, un peu avant son cent unième anniversaire. Vénéré, recevant hommage sur hommage, placé en quelque sorte sur un piédestal, il n'en était pas moins contesté, de temps à autre. Par ceux qui remettaient en cause l'antiracisme rigoureux et systématique dont il fut le porte-parole ; et aussi, de plus en plus, par ceux qui critiquaient, à l'inverse, sa « dérive conservatrice », le fait d'avoir dit, par exemple, dans une conférence, que « pour être originale et maintenir vis-à-vis des autres cultures des écarts qui leur permettent de s'enrichir mutuellement, toute culture se doit à elle-même une fidélité dont le prix à payer est une certaine surdité à des valeurs différentes ».

Il y avait effectivement chez lui un changement de perspective par rapport à l'époque où il écrivit *Race et histoire*. Dans les années cinquante, au sortir de la Seconde Guerre et à l'orée des indépendances, il avait surtout envie de dire : nous avons tous droit à une égale dignité, personne ne devrait se vanter d'avoir une civilisation supérieure aux autres. Plus tard dans la vie, son inquiétude s'était portée sur un autre péril, qu'il jugeait plus pernicieux encore : celui de l'uniformité rampante. Un péril qui n'a jamais été absent de son esprit, lui qui avait écrit, avec indignation : « L'humanité s'installe dans la monoculture ; elle s'apprête à produire la civilisation en masse, comme la betterave. Son ordinaire ne comportera plus que ce plat. »

De son point de vue, aucune culture ne mérite de disparaître – aucune communauté, aucun récit, aucune langue, aucun art. Ni sur les bords de l'Amazone, ni sur les bords de la Seine.

Épilogue

Au cours de mes recherches sur les personnages qui m'ont précédé à ce fauteuil depuis 1634, j'étais constamment tiraillé entre deux tentations contraires. D'un côté, je me disais que mon rôle ne devait pas être de les réhabiliter, de redorer leurs blasons les plus ternis, en vertu d'une quelconque «piété filiale», et que je devais me cantonner dans un rôle d'historien impartial. Mais, d'un autre côté, cette «généalogie en partie fictive» qui nous liait, selon l'expression de Lévi-Strauss, ne me laissait pas indifférent. Sans vouloir les défendre à tout prix, je me sentais porté à les regarder tous avec affection. Surtout les mal-aimés parmi eux, les incompris, les oubliés.

Certains de ces «ancêtres» appartiennent sans aucun doute à ceux que Jules Renard appelait, dans son Journal, *«le commun des immortels», et il n'aurait servi à rien d'en faire, tardivement, des génies méconnus. Mais plusieurs d'entre eux gagnaient à être mieux connus, et tous, sans exception, méritaient d'être considérés – de par les circonstances de leur élection, la nature de leurs travaux, ou les péripéties de leur existence – comme des révélateurs de leur siècle.*

De ce fait, plutôt que de me laisser influencer par la gloire d'un Montherlant ou par l'obscurité d'un Cailhava, il fallait que je voie en chacun des titulaires successifs le témoin précieux et éphémère d'une histoire qui le dépasse, et nous dépasse tous. Une histoire en dix-huit segments, pourrait-on dire, ou une traversée des siècles en dix-huit étapes, chacune en compagnie d'un «promeneur» différent.

L'un après l'autre, ils se sont assis sur le vingt-neuvième fauteuil. Ils y ont connu la splendeur ou la terreur, la bigoterie ou les lumières, les épopées, les égarements, les débâcles. Puis ils sont repartis, en laissant ou en ne laissant pas de traces, pendant que Paris, la France, l'Europe et l'humanité entière se métamorphosaient.

C'est cette ample histoire que j'ai voulu raconter à partir de ce siège en bois où, pour un temps, je me trouve assis à mon tour.

Remerciements et notes

Jamais je ne pourrai citer tous les ouvrages qui m'ont permis de mener ce travail à son terme. Ils se comptent par centaines, sur papier ou en ligne, et ma reconnaissance va aussi bien à leurs auteurs, en grande majorité disparus, qu'aux personnes qui me les ont signalés.

J'ai effectué une partie de ma recherche à la Bibliothèque de l'Institut de France et dans ses archives. J'aurais pu m'oublier pendant des années dans ce lieu qui est un véritable paradis pour un passionné d'histoire. Je tiens à exprimer ici toute ma gratitude à celles et ceux qui m'y ont accueilli avec autant de courtoisie que de compétence ; et à adresser des remerciements spéciaux à Mireille Pastoureau, qui a organisé en 2012 une exposition consacrée au vingt-neuvième fauteuil, rassemblant à cette occasion un grand nombre de documents qui m'ont accompagné tout au long de ce travail.

Dans les pages qui suivent, je voudrais apporter un éclairage complémentaire aux dix-huit chapitres du livre ; pour répondre à certaines questions que des lecteurs pourraient se poser ; pour donner quelques éléments de bibliographie ; pour manifester ma gratitude à certains de ceux qui m'ont aidé ; et pour suggérer des pistes de recherche aux personnes qui voudraient en savoir davantage.

1 - *Sur Pierre Bardin (v. 1595-1635)*

– Même si ce livre est consacré à un seul des quarante fauteuils, il a fallu que je me familiarise avec tout le passé de l'Académie : sa création, son évolution, ses moments de frayeur ou de grandeur, ses dilemmes. Parmi les ouvrages que j'ai consultés sur ce sujet, cinq m'ont été particulièrement précieux : *Des siècles d'immortalité*, par Hélène Carrère d'Encausse, publié en 2011 aux éditions Fayard ; *La Vieille Dame du quai Conti*, par le duc de Castries, publié en 1978 à la Librairie académique Perrin ; *Histoire de l'Académie française*, par Paul Pellisson, publié en 1653 et complété en 1730 par l'abbé d'Olivet ; *Le Salon des Immortels*, par Louis-Bernard Robitaille, publié en 2002 aux éditions Denoël ; *Chroniques des élections à l'Académie française*, par Albert Rouxel, publié à Paris en 1888.

– C'est Jean-Christophe Rufin qui, en me recevant sous la Coupole le 14 juin 2012, a attiré mon attention sur le fait que le premier titulaire du vingt-neuvième fauteuil s'était noyé en voulant sauver celui dont il avait été le précepteur ; me connaissant bien, il avait deviné que le sort de ceux qui m'avaient précédé ne me laisserait pas indifférent. «Vous qui vouez un culte aux ancêtres, voici que vous en recevez dix-huit de plus en héritage», m'avait-il lancé. Son discours et le mien ont été publiés aux éditions Grasset en 2014.

– C'est grâce à Catherine Faivre d'Arcier, conservateur au département des Manuscrits de la Bibliothèque nationale de France, que j'ai pu consulter le texte de la harangue intitulée

Du style philosophique, prononcée par Bardin devant ses confrères le 21 mai 1635, huit jours avant sa mort.

– Je saisis l'occasion pour saluer le projet Gallica, en vertu duquel la BnF numérise un grand nombre d'œuvres anciennes difficilement disponibles sur papier. La consultation de ces textes, de ceux qui ont été numérisés par Google, ainsi que de ceux qui ont été réédités et mis en ligne par le projet Wikisource, m'a été d'une aide constante dans ma recherche sur les auteurs des XVIIe, XVIIIe et XIXe siècles.

– Pour ce chapitre, et aussi pour quelques autres, je me suis beaucoup appuyé sur trois livres de Marc Fumaroli : *L'Âge de l'éloquence,* publié en 1980 à la Libraire Droz ; *La Coupole,* publié en 1986 aux éditions Gallimard ; et *La République des Lettres,* publié chez le même éditeur en 2015.

2 - Sur Nicolas Bourbon (v. 1574-1644)

– L'observation sur «Borbonius… qui ne savait que du latin» provient des *Historiettes* de Gédéon Tallemant des Réaux, dont la première édition remonte à 1657 – un ouvrage amusant et instructif, même s'il ne constitue pas toujours une source digne de foi.

– Il semble que ce soit l'imprécation en vers contre le meurtrier d'Henri IV qui valut au chanoine Bourbon d'être nommé professeur de grec au Collège royal, ancêtre du Collège de France. Il sera le premier de cette institution à entrer à l'Académie française, inaugurant ainsi une tradition qui se révélera durable. Notamment sur son fauteuil, qui accueillera après lui cinq autres professeurs : Pierre Flourens, Claude Bernard, Ernest Renan, André Siegfried et Claude Lévi-Strauss. Ce chiffre est exceptionnel. À titre de comparaison, le nombre total des professeurs du Collège qui siégèrent à l'Académie depuis sa fondation est de trente-cinq, soit en moyenne moins d'un par fauteuil. De ce fait, le vingt-neuvième s'est trouvé être, par le hasard des élections, *le* fauteuil du Collège de France à l'Académie française.

3 - *Sur François-Henri Salomon de Virelade (1620-1670)*

– La charge virulente de Jean Le Rond d'Alembert contre le troisième titulaire du fauteuil, et aussi contre Richelieu lui-même, se trouve dans un texte intitulé « Éloge de Jean Testu de Mauroy », inclus dans le recueil de ses *Œuvres philosophiques, historiques et littéraires*.

– La phrase de Rivarol sur Richelieu et Corneille vient d'un discours écrit en 1784 à l'invitation de l'Académie de Berlin et intitulé *De l'universalité de la langue française*.

– Concernant les origines de la famille Salomon : merci à Pierre Marck, qui m'a fait bénéficier de ses vastes connaissances en matière de généalogie ; les recherches de Françoise Krug sur la famille Salomon au XVIIIe siècle, publiées en 1979 par la Société savante d'Alsace, m'ont également été fort utiles ; la traduction française du *Questionnaire* d'Ernst von Salomon a été publiée aux éditions Gallimard en 1953.

4 - *Sur Philippe Quinault (1635-1688)*

– Entre la mort de Salomon de Virelade à Bordeaux, l'arrivée de la nouvelle à Paris, l'élection de Quinault et sa réception officielle, se sont écoulées trois semaines – du

2 au 24 mars 1670. Une telle hâte serait impensable de nos jours. La coutume est d'attendre un an après le décès d'un membre avant de procéder à la désignation de son successeur. Parfois, c'est un peu moins, huit mois par exemple ; souvent c'est un peu plus, quinze mois, ou même deux ans. Le délai entre l'élection et la réception est également d'un an en moyenne, souvent même un peu plus. De ce fait, entre la mort d'un membre et la réception de son successeur, il y a rarement moins de deux ans.

– Je tiens ici à rendre hommage à Norman Buford, dont l'ouvrage *Quinault, librettiste de Lully,* publié en 2009 par le Centre de musique baroque de Versailles et par les éditions Mardaga de Bruxelles, s'est révélé indispensable pour la connaissance du quatrième titulaire de ce fauteuil.

– Il y avait eu au XIXe siècle un autre éminent spécialiste, Étienne Gros, dont l'ouvrage *Quinault, sa vie, son œuvre* a longtemps été la référence ultime sur le sujet, et qui demeure fort utile à consulter ; c'est notamment grâce à lui que j'ai pu mesurer l'hostilité de Bossuet et du grand Arnaud à la poésie prétendument «licencieuse» du librettiste.

– Le passage sur l'atmosphère qui régnait lors de la querelle entre gluckistes et piccinnistes est tiré d'un guide intitulé *How to Enjoy Paris* et publié à Londres par Peter Hervé en 1818.

5 - *Sur François de Callières (1645-1717)*

– Un remarquable ouvrage intitulé *François de Callières. L'art de négocier en France sous Louis XIV* a été publié par Jean-Claude Waquet en 2005 aux éditions Rue d'Ulm de l'École normale supérieure. Il présente la vie du cinquième titulaire du fauteuil ainsi que son rayonnement posthume; et il contient en annexe le texte intégral de l'ouvrage principal de Callières tel qu'il fut publié en 1716.

– *De la manière de négocier* a également été publié par la Librairie Droz, à Genève, en 2002, avec une préface fort éclairante d'Alain Pekar Lempereur expliquant pourquoi Callières s'est trouvé si longtemps dans un « purgatoire », et pourquoi il méritait d'en sortir.

– Sur la manière dont François de Callières put aider son frère Louis-Hector à devenir gouverneur de la Nouvelle-France, on peut lire en ligne l'excellent article signé par Yves F. Zoltvany dans le *Dictionary of Canadian Biography*, édition de 1969.

6 - *Sur André-Hercule, cardinal de Fleury (1653-1743)*

– J'ai cité un long extrait du discours de réception de Fleury. J'en ai fait de même pour plusieurs de ses successeurs. Ces textes sont disponibles sur le site Internet de l'Académie française, dont je me suis abondamment servi tout au long de ma recherche. Un grand merci à ceux qui l'ont créé, et qui l'améliorent sans cesse.

– Le jugement de l'ancien président Valéry Giscard d'Estaing sur le gouvernement du cardinal de Fleury a été exprimé lors d'un entretien publié dans l'hebdomadaire *Le Point* en mai 2014 à l'occasion du quarantième anniversaire de son élection à la présidence – propos recueillis par Franz-Olivier Giesbert et Romain Gubert.

– Si je donne pour ce chapitre peu de références bibliographiques, c'est parce que celles-ci sont à la fois très nombreuses et très faciles à trouver. Qu'il s'agisse du cardinal lui-même, de Louis XV, de la Régence ou de la franc-maçonnerie, les ouvrages sont légion, il m'a suffi de glaner ; alors que pour les tout premiers occupants du vingt-neuvième fauteuil, il m'a fallu creuser longtemps avant de rassembler quelques renseignements utiles…

7 - Sur Paul d'Albert, cardinal de Luynes (1703-1788)

– C'est en effectuant des recherches sur le septième titulaire du fauteuil que j'ai commencé à apprécier l'extraordinaire outil que constitue, pour la connaissance du XVIIe siècle, du XVIIIe et de la première moitié du XIXe, la *Biographie universelle ancienne et moderne* qu'a éditée Louis-Gabriel Michaud, le frère de l'académicien. Je m'y suis souvent référé, et je me réjouis de savoir que la totalité de ses deux grandes éditions – soit 130 volumes ! – est à présent disponible en ligne. Sans doute avons-nous sous la main, de nos jours, une profusion de sources ; mais celle-ci apporte, me semble-t-il, un éclairage irremplaçable.

– C'est également à ce stade de mes recherches que j'ai pu apprécier les qualités d'historien d'un homme généralement célébré pour bien d'autres raisons : Condorcet. Philosophe, savant, penseur politique souvent très en avance par rapport aux idées de son temps, personnage au destin tragique puisqu'il mourut victime d'une révolution qu'il avait pourtant appelée de ses vœux, il représente à plus d'un titre l'une des figures les plus attachantes de cette époque tumultueuse. Ce que j'ai pu apprécier au cours de mes recherches, ce sont ses vertus de chroniqueur : son style élégant, ses observations judicieuses, son souci d'exactitude, son respect des autres, même quand il ne partageait nullement leurs opinions.

– Le baron de Grimm, homme de lettres allemand d'expression française, qui éditait la *Correspondance littéraire, philosophique et critique* par laquelle on connaît les détails de l'ultime visite de Voltaire à Paris en 1778, ne doit pas être confondu avec les frères Grimm, célèbres auteurs et collecteurs de contes.

– Un ouvrage fort utile a été consacré à la loge des Neuf-Sœurs par un dignitaire franc-maçon, Louis Amiable, qui fut maire du Ve arrondissement de Paris. Publié en 1897, il a pour titre : *Une loge maçonnique d'avant 1789.* La version que j'ai consultée a été mise en ligne par l'université d'Ottawa.

8 - Sur Jean-Pierre Claris de Florian (1755-1794)

– Le duc de Penthièvre, petit-fils de Louis XIV et protecteur de Florian, était aussi le grand-père maternel de Louis-Philippe, qui allait régner de 1830 à 1848 avec le titre de « roi des Français » plutôt que celui de « roi de France ».

– Voltaire aimait à broder, semble-t-il, autour de ses origines. Il avait modifié sa date de naissance, ainsi que le lieu, affirmant qu'il était venu au monde le 20 février 1694 à Châtenay-Malabry alors que ses documents d'état civil le faisaient naître neuf mois plus tard, le 21 novembre, et à Paris. Il disait aussi à ses amis que son véritable père n'était pas le notaire Arouet, mais un noble homme du nom de Roquebrune.

9 - *Sur Jean-François Cailhava (1731-1813)*

– Le lieu précis où fut enterré Molière demeure sujet à controverse, si bien que les restes déterrés en 1792 – et aussi, par voie de conséquence, la dent prélevée par Cailhava – pourraient parfaitement appartenir à quelqu'un d'autres ; certains pensent qu'il s'agit de La Fontaine...

– Je voudrais exprimer ici ma gratitude à Alexandre Thommes ; son ouvrage intitulé *La Vie et l'œuvre de Jean-François Cailhava dit d'Estandoux*, dont il a eu l'amabilité de m'adresser le manuscrit, m'a été fort précieux. C'est notamment par lui que j'ai appris le rôle du neuvième occupant du fauteuil dans l'initiation maçonnique de Voltaire en 1778.

10 - *Sur Joseph Michaud (1767-1839)*

– L'évocation du dixième titulaire de ce fauteuil ravive chez moi un souvenir personnel que j'ai brièvement mentionné dans l'avant-propos de ce livre. En 1981, j'étais en train d'effectuer quelques recherches sur les croisades, avec l'intention de les raconter telles qu'on avait pu les percevoir « de l'autre côté ». Dans ce but, je passais des journées entières dans les bibliothèques, et je parcourais également les librairies anciennes en quête de quelque trésor enfoui. J'étais effectivement en train de fureter dans les rayons d'un vénérable établissement orientaliste du Quartier latin, rue Monsieur-le-Prince, quand le libraire, M. Samuelian, me demanda si je connaissais l'*Histoire des croisades* de Michaud. Il venait d'acquérir une édition rare en sept volumes, cinq pour l'*Histoire* proprement dite, et deux pour la *Bibliographie des croisades*. Imprimés entre 1819 et 1822, couverts d'une reliure de cuir fauve rehaussée de dorures, ils m'ont séduit par leur apparence avant même que je commence à les feuilleter. Ils devinrent la pierre angulaire de ma bibliothèque pendant que je m'efforçais d'écrire mon tout premier livre. Ils sont toujours près de moi, pendant que j'écris ces lignes, un tiers de siècle plus tard. J'ai évoqué l'apparence du livre. Mais c'est l'intérieur qui allait me combler. Outre le fait que Michaud écrit avec simplicité, élégance, et avec le désir constant d'intéresser le lecteur, il a rassemblé dans son ouvrage une incroyable quantité de documents, qu'il a tous reproduits *in extenso*. De plus, comme l'a bien noté Sainte-Beuve, son adhésion à l'idéal des croisades ne l'a nullement conduit à altérer le contenu des sources, même quand celles-ci se révélaient accablantes pour les siens.

– Le prénom entier de Michaud est Joseph-François, et c'est ainsi qu'il est nommé dans beaucoup de textes qui lui sont consacrés. Quant à lui, il utilisait uniquement «Joseph», ou «J.»; et même, assez souvent, son patronyme sans aucun prénom. Ainsi, dans les sept volumes de l'*Histoire des croisades* évoqués dans la note précédente, il est toujours présenté comme «M. Michaud, de l'Académie française», sans qu'une seule fois apparaisse son prénom.

– C'est la *Biographie universelle ancienne et moderne* qui rapporte avec le plus de détails le récit de l'évasion rocambolesque de Michaud, organisée par son ami et futur éditeur, Giguet.

11 - *Sur Pierre Flourens (1794-1867)*

– Ce titulaire du vingt-neuvième fauteuil avait trois prénoms : Marie Jean Pierre, ce qui a parfois donné lieu à des confusions. Ainsi, le monument qui lui est consacré dans sa commune natale de Maureilhan, près de Béziers, l'appelle «Pierre Jean Marie»; certaines sources le nomment «Jean-Pierre»; lui-même, sur la couverture de ses livres, écrivait simplement «Pierre».

– Les circonstances de l'élection du rival de Victor Hugo lors du scrutin organisé le 20 février 1840 appellent quelques explications. De nos jours, on fait la distinction entre le vote blanc, qui représente une abstention, et le «blanc marqué d'une croix», qui équivaut à un refus. Autrefois, et jusqu'à une modification du règlement introduite en 1938, tout bulletin blanc était considéré comme une opposition à tous les candidats en lice; de ce fait, si deux d'entre eux obtenaient respectivement 18 et 15 voix, mais qu'il y avait trois bulletins blancs, personne n'était élu. Les bulletins blancs d'hier et les «croix» d'aujourd'hui sont les héritiers de ce que furent jadis les boules noires, qui marquaient à l'Académie – jusqu'en 1816 – le rejet d'une candidature. C'est évidemment de cette pratique, autrefois répandue dans les clubs privés anglais, que le verbe «blackbouler» tire son origine.

– Les travaux de Georgette Legée, disparue en 1993, m'ont été particulièrement utiles pour comprendre l'apport scientifique de Pierre Flourens. Plusieurs de ses articles sont disponibles en ligne.

12 - *Sur Claude Bernard (1813-1878)*

– J'ai été heureux de découvrir, au cours de mes recherches, un ouvrage écrit en 2006 par Marie-Aymée Marduel; intitulé *Claude Bernard, un physiologiste natif du*

Beaujolais. Sa famille, sa vie, son œuvre, il est disponible sur Internet.

– Un recueil des lettres écrites par Claude Bernard à son amie Marie Raffalovich a été publié par Jacqueline Sonolet en 1974 avec le concours de la fondation Mérieux, dans une édition soignée, sous le titre : *Lettres à Madame R.*

13 - *Sur Ernest Renan (1823-1892)*

– Le treizième titulaire de ce fauteuil étant une célébrité quasiment depuis le milieu du xixᵉ siècle, les ouvrages qui parlent de sa vie, de son œuvre, des polémiques qui l'ont entouré et de son influence intellectuelle sont innombrables. Il serait fastidieux de les énumérer ; je voudrais cependant mentionner une source qui m'a été particulièrement utile, et qu'on ne trouve pas souvent dans les bibliographies. Il s'agit du catalogue d'une exposition consacrée à Renan par la BnF en 1974. J'avais acquis ce volume il y a de nombreuses années, sans savoir à quel point il me serait précieux un jour. C'est là que j'ai trouvé notamment la lettre à sa sœur Henriette au lendemain de son mariage, le rapport de l'administrateur du Collège de France au ministre de l'Instruction publique sur le chahut qui a perturbé la leçon d'ouverture de Renan, ainsi que la lettre où Napoléon III se montrait désolé de la sanction prise contre lui.

– André Gide écrit en 1936, dans *Retour de l'U.R.S.S.* : «Les Allemands usent d'une image excellente et dont je cherche vainement un équivalent en français pour exprimer ce que j'ai quelque mal à dire : *on a jeté l'enfant avec l'eau du bain.* Effet du non-discernement et aussi d'une hâte trop grande...» Son observation laisse entendre que l'expression n'était pas familière à ses lecteurs, et qu'il avait dû effectuer lui-même la traduction.

– L'épouse de Renan, Cornélie Scheffer, était issue d'une famille venue des Pays-Bas, et dont plusieurs membres s'étaient fait un nom comme peintres, notamment Jean-Baptiste et Cornelia, les grands-parents de Mme Renan, Henry, son père, et surtout Ary, son oncle, le plus célèbre de la dynastie. C'est en l'honneur de ce dernier que le fils des Renan fut prénommé Ary. Il devait se consacrer, lui aussi, à la peinture...

14 - *Sur Paul-Amand Challemel-Lacour (1827-1896)*

– Je me suis demandé, en cours d'écriture, si je devais utiliser le nom entier du quatorzième titulaire du fauteuil, ou une version abrégée. C'est en lisant la préface de son ami Joseph Reinach à l'édition posthume des *Études et réflexions d'un pessimiste* que j'ai compris que l'appellation usuelle pour ses proches était simplement Challemel, et qu'il serait tout à fait acceptable de s'en contenter.

– Dans la plupart des dictionnaires qui mentionnent le quatorzième titulaire de ce fauteuil, on lui donne comme second prénom «Armand». Pourtant, dans la famille de Challemel, qui vivait du côté d'Avranches, en Normandie, c'est «Amand» qui avait cours. Le père de l'académicien s'appelait même Amand-Fidèle-Constant, ce qui constitue quasiment une profession de foi... Pour ajouter à la confusion, un fonctionnaire de l'état civil avait ajouté par erreur un «r» à certains documents concernant son fils. Celui-ci avait résolu le problème en n'utilisant qu'un seul prénom, Paul. Ces péripéties me sont connues, comme beaucoup d'autres faits de la vie de Challemel, par une biographie en trois volumes publiée par Eugène Grelé entre 1917 et 1922, ainsi que par un ouvrage de Vincent Wright sur *Les Préfets de Gambetta*, publié en 2007 aux Presses universitaires de Paris Sorbonne.

15 - *Sur Gabriel Hanotaux (1853-1944)*

– L'excellente *Histoire politique de l'affaire Dreyfus*, publiée par Bertrand Joly aux éditions Fayard en 2014, m'a été extrêmement utile pour connaître le rôle très critiqué du ministre-académicien lors de cette crise.

– Les Mémoires de Gabriel Hanotaux, intitulés *Mon temps* et publiés aux éditions Plon entre 1933 et 1940, sont fort intéressants pour la première partie de sa vie, mais décevants ou inexistants à partir de l'affaire Dreyfus. Le dernier volume a été mis en vente à la Libération avec un bandeau disant : «Ouvrage interdit par la Censure pendant l'occupation. »

16 - *Sur André Siegfried (1875-1959)*

– La maison familiale des Siegfried, située à l'embou-chure de la Seine, a été baptisée «Le Bosphore» par réfé-rence à un dialogue dans une pièce de Casimir Delavigne intitulée *L'École des vieillards* où un personnage dit : «Toi, grand propriétaire, autrefois armateur, Du Havre, où tu naquis, constant adorateur, Tu cesses de l'aimer ? » Ce à quoi son interlocuteur répond : «Après Constantinople, il n'est rien d'aussi beau. »

– L'ouvrage qui permet le mieux de connaître la vie de l'académicien est celui qu'il consacra à son père, Jules Siegfried, et qui s'intitule : *Mes souvenirs de la IIIe République.*

17 - *Sur Henry de Montherlant (1895-1972)*

– Pour des raisons dues en partie, semble-t-il, à sa fascination pour les cycles solaires, Montherlant avait modifié d'un an et un jour sa date de naissance par rapport à celle qui figure sur les registres de l'état civil, la fixant au 21 avril 1896 au lieu du 20 avril 1895.

– La phrase sur la facilité d'écrire les pièces de théâtre est citée dans le *Journal inutile* de Paul Morand. C'est au secrétaire de celui-ci, Pierre Bessand-Massenet, que Montherlant l'aurait dite.

– Les travaux consacrés à Montherlant sont, bien entendu, fort nombreux. Je voudrais seulement signaler que c'est grâce à Jean-François Domenget, dans son ouvrage *Montherlant critique,* publié en 2003 par les éditions Droz, que j'ai découvert la brève détention du futur académicien en compagnie de Jouhandeau ; que j'ai beaucoup appris sur sa passion romaine en lisant *Montherlant et l'Antiquité,* de Pierre Duroisin, publié par Les Belles Lettres en 1987 ; et que *Hemingway and French Writers,* de Ben Stoltzfus, publié en 2010 par Kent State University Press, dans l'Ohio, a attiré mon attention sur l'influence de Montherlant sur l'écrivain américain en matière de corrida.

– À l'origine de la polémique sur la vie personnelle de

Montherlant se trouvent deux auteurs, Pierre Sipriot et Roger Peyrefitte, qui l'ont bien connu, mais qui ont publié après sa mort des ouvrages que les admirateurs de l'écrivain ont perçus comme malveillants. Le premier a écrit une biographie en deux volumes intitulée : *Montherlant sans masque* ; le second a révélé et commenté une correspondance sulfureuse remontant aux années 1938-1941.

– La mention de « ces ossuaires que hantait ma jeunesse » dans le discours de réception de Montherlant est une allusion au fait qu'il fut employé à l'Ossuaire de Douaumont au lendemain de la Première Guerre mondiale.

18 - *Sur Claude Lévi-Strauss (1908-2009)*

– Grâce à l'excellente biographie de Lévi-Strauss par Emmanuelle Loyer, publiée aux éditions Flammarion en 2015, on apprend qu'André Siegfried joua un rôle significatif dans l'échec de l'anthropologue dans sa seconde tentative en direction du Collège de France. Auréolé de son prestige de professeur renommé et de membre de l'Académie française, l'éminent auteur du *Tableau politique de la France de l'Ouest* avait invité ses collègues à voter pour un candidat qui proposait une chaire sur « l'histoire et la structure sociale de Paris et de la région parisienne », plutôt que pour « la sociologie des primitifs ».

– L'article de Roger Caillois intitulé « Illusions à rebours » fut publié en deux livraisons dans ce qui s'appelait alors, curieusement, la *Nouvelle Nouvelle Revue française*, pour la distinguer de la *Nouvelle Revue française* publiée sous l'Occupation. La *NRF* allait reprendre son nom d'origine peu de temps après.

TABLE

Avant-propos 9
1. *Celui qui s'est noyé en voulant sauver son pupille* 13
2. *Celui qui n'aimait écrire qu'en latin* 27
3. *Celui que l'on a préféré à Corneille* 35
4. *Celui que les écrivains jalousaient* 45
5. *Celui qui allait renaître après deux siècles* 59
6. *Celui qui murmurait à l'oreille du roi* 75
7. *Celui qui est passé devant Voltaire.* 95
8. *Celui qui est devenu un emblème du pays d'Oc.* 109
9. *Celui qui idolâtrait Molière.* 123
10. *Celui qui fut deux fois condamné à mort* 135
11. *Celui qui fut élu contre Victor Hugo.* 155
12. *Celui qui a voulu réinventer la médecine* 167
13. *Celui qui a osé appeler Jésus «un homme»* 187
14. *Celui qui n'aimait pas son prédécesseur* 209
15. *Celui qui fut «l'homme le plus insulté de France».* . . . 231
16. *Celui que tout le monde venait entendre.* 249
17. *Celui que fascinaient les cycles du soleil* 271
18. *Celui qui chérissait les cultures fragiles.* 291
Épilogue. 313
Remerciements et notes 315

Cet ouvrage a été imprimé en France
par CPI
en mars 2016

Ce volume a été composé
par MAURY IMPRIMEUR

N° d'édition : 19354 - N° d'impression : 2022155
Première édition, dépôt légal : mars 2016
Nouveau tirage, dépôt légal : mars 2016